Notus

好循環のまちづくり！

枝廣淳子
Junko Edahiro

Boreas

岩波新書
1877

はじめに

近年、まちづくりのお手伝いや取材で日本の各地を見ていて、思うことがあります。それは「二極化が進みつつある」ということです。

元気で勢いの感じられる、生き生きとしたまちもあります。そういった地域では、新しい動きが次々と起こり、移住者もどんどんと入ってきます。訪れるたびに新しいお店ができていたり、新しいプロジェクトが始まっていたり。私も話を聞きながらわくわくしてきます。

その一方で、よどみ感の広がる、活力の感じられないまちも増えています。久しぶりに訪れて、前回から変わったことと言えば、駅前のシャッター通りがさらに長くなったかな……。

こういったまちでは、住民の間にあきらめ感が漂っていることもあります。「駅前の商店街を元気にしましょうよ、大学のゼミの若者を連れてきますよ、一緒に考えましょう！」と言っても、「この店はどのみち自分の代でおしまいにするので、ほっといてください」と言われてしまう。こういった地域では、若い世代は出て行ったきり戻ってきません。移住者も入ってきません。なぜなら人は、「動きのあるところ」に惹きつけられるからです。

人口減少は日本全体にとっても国家的な課題ですが、まさに「わがまちの存続の危機につながる」と焦っている地域も少なくありません。「なんとか人口減少に手を打たなければ、まちが機能しなくなる」――そんな思いから、多くの自治体が人口政策に力を入れています。自治体では、子育て支援や移住政策など様々な手を打ちます。うまくいくものもあれば、そうでないものもあります。人口減少にどう取り組むかはまちにとって非常に重要な課題ですが(終章で詳しく述べます)、「人口は、様々な取り組みの結果の〝遅行指標〟の一つでしかないんだけどなあ」と思うこともよくあります(指標については第4章で述べます)。まるで「人口」だけが最重要指標であるかのように、「人口を増やすにはどうしたらよいか」にあまりにもとらわれているように思える自治体もあります。

日本では、各地の地方創生を支援しようという取り組みも様々に展開されています。コンサルティング会社はもちろんのこと、一見関係なさそうな業種の企業にも、新たなビジネスチャンスとして取り組みを始めているところもあります。

そして、いろいろな地域へ出向いていって、まちづくりの支援を仕事にしている人も少なからずいます(私もその一人です)。なかには、〝必殺まちづくり請負人〟のようなすばらしい方もいて、各地で様々な成功事例が生まれていることもあります。でも、〝必殺まちづくり請負人〟は数えるほどしかいません。彼らだけに頼っていては、日本中の数多くの地域をカバーすることはできません。

私はこれまで、島根県海士(あま)町、北海道下川町、熊本県南小国(みなみおぐに)町、徳島県上勝(かみかつ)町などいくつかの自治体からの依頼を受け、1カ月か2カ月に一度ずつ定期的に訪問しながら、まちづくりのお手伝いをしてきました。その他にも、不定期に訪問しながらまちづくりのアドバイスや支援をしている地域もいくつかあります。2011年の東日本大震災後には、原発のある新潟県柏崎市で、3年にわたってまちづくりのお手伝いをするという貴重な経験も積みました。

それぞれのまちづくりのお手伝いが実際の変化にもつながっていて、自分自身、手応えややり甲斐を感じています。「もっと多くの地域でお手伝いしたい！」と思います。でも、私の時間は有限ですから、お手伝いできる地域には限りがあります。そのような経験から、「私が訪問して手伝わなくても、まちづくりが進むしくみができないか」と考えるようになりました。「枝廣さんでなければできない」という属人的なまちづくりでは、広がりが制限されてしまうからです。

幸いこれまで定期的に訪問してまちづくりをお手伝いしてきた地域からは、「まちのビジョンができ、まちづくりのチームが生まれ、具体的な取り組みが進むようになってきた」とうれしい評価をいただいています。この経験とそこからの学びを、より多くのまちで使っていただけるようにしたい、と思うようになりました。

私は20年以上前から環境問題に取り組む中で、また10年ほど前から地域の活性化や地方創生に取り組む中で、私なりの「まちづくりのプロセス」を作り上げてきました。それは「ホップ、ステップ、ジャンプ！」と、三つのステップを踏んでいくプロセスです。どのまちのお手伝いをするときにも、基本的にこの3ステップからなるプロセスをベースにお手伝いをしています。

この3ステップは、本質的な変化を創り出すためのシステム思考や、コミュニケーション手法、社会的合意形成などの考え方を土台に組み立てたものです。そして、大学・大学院時代に専攻していた教育心理学・臨床心理学がその根底にあります。「ビジョンの作り方」「方向性を示し、進捗を測るための物差し（指標）」などは、自分のこれまでの人生で自分なりに試行錯誤してきたものでもあります。

この三つのステップをわかりやすく紹介し、「それぞれの地域で使ってもらえるようにしたい！」との思いで書いたのが本書です。これまで自分が勉強・実践してきたこと、そして様々な地域でのお手伝いの経験から、基本的な進め方、大事なポイントやコツ、留意すべきところなどを盛り込みました。

大小問わず、日本各地のまちが、行政も住民も一緒になって、まちの今後について、悲観的でなく現実的に考え、信頼関係に基づく仲間や取り組みが自己組織的に生まれ、新しい動きが次々と始まり、笑顔と会話が広がる、元気と勢いの感じられるまちになっていったらいいなあ！と思います。

本書が、持続可能で幸せなまちづくりの小さなお手伝いの一つになれば、これ以上うれしいことはありません。

目次

第1章　まちづくりのホップ、ステップ、ジャンプ!

まちづくりの3ステップ
ホップ　：ビジョン（バックキャスティング）未来の望ましいまちの姿を描く
ステップ：つながり（システム思考）つながりをたどって現状の構造を理解し、望ましい好循環を描く
ジャンプ：変化（プロジェクト）悪循環を断ち、好循環を強めるプロジェクトを立案・実行する

解決策やアイディアに飛びつかない

まちづくりに限りませんが、私たちは課題や問題に直面すると、すぐに「対策」を考えようとします。心理学的に言えば、問題や課題を目の前にすると、自分の心の中に不安が生まれるので、その不安を解消するために、「とりあえずできそうなこと」を考え、自分の不安をなくそうとするのでしょう。

これが「問題」だ、だからこの「対策」をとる、というような「出来事→出来事」レベルの反応が非常に多いのです。「スーパーの撤退」が問題だ、「空き家の増加」が問題だ、「今年の

出生数がまた減ったこと」が問題だ、「だから、どうしよう、こうしよう」という対策づくりに走ります。

また、まちの人や域外の人々を対象に、「まちづくりのアイディアをくださ い」というアイディア・コンテストを行うこともよくあります。様々な可能性を考えることや、それがまちづくりの刺激になるという側面はもちろん大事なことですが、やはり「出来事↓出来事」レベルのアイディアになってしまうことも少なくないようです。

「目の前の問題」は、「問題の症状」であることが多いのです。スーパーの撤退も空き家の増加も出生数の減少も、それ自体が「問題」なのではなく、より根本的な問題の「症状」ではないでしょうか？　そして、スーパーの撤退や空き家の増加や出生数の減少という〝問題状況〟を、どういう状態にもっていきたいのでしょう？　スーパーが残ればよいのでしょうか？　空き家はどういう状態になればよいのでしょうか？　出生数やまちの人口はどうあれば、持続可能で幸せなまちになるのでしょうか？

目の前の問題や問題の症状だけを見て「何をしたらよいか？」を考えた結果は、多くの場合、対症療法になってしまいます。さらに、その取り組みが新たな問題を生んでしまったり、解決したいと思っていたそもそもの問題を悪化させる可能性すらあります。

では、どうしたらよいのでしょうか？　すぐに問題の解決策を考えたくなる、対策に走りたくなる衝動を少し我慢して、まずは、全体像をじっくりと考える必要があります。考えることは二つです。「そもそもどういう姿にしたいのか」、そして「なぜ今そうなっていないのか、その構造がどうなっているからか」です。

私のまちづくりのプロセスでは、この二つをじっくり考えていきます。「ホップ、ステップ、ジャンプ！」の「ホップ」と「ステップ」に当たります。そして、最後の「ジャンプ」ではじめて、解決策やプロジェクトを考えることになります。あとで一つずつ詳細に説明しますが、まずはこの三つのステップの概要を紹介しましょう。

ホップ：バックキャスティングで未来の望ましいまちの姿を描く

最初の「ホップ」はビジョンづくりです。「バックキャスティング」というやり方で、「まちのビジョン」、つまり、「ありたいまちの姿」を考えます。

ビジョンを作るには、２通りのやり方があります。一つは現状立脚型のビジョンづくりです。「今、これができる」「これはできない」「今これがある」「これはない」「これが強みだ」「これが弱みだ」など、現状に基づいて、「何ができるかな」「どういうまちにできるかな」と考えるアプローチです。これは「フォーキャスティング(forecasting)」の方法です。ちなみに、「キャスト」とは「投げる」ということ、「フォー」は「前」です。つまり現状をもとにして、この先「どうなるか」と先に予測を〝投げる〟のが「フォーキャスト」なのです。「ウェザー・フォーキャスト」という言葉を聞いたことがあるでしょう？「天気予報」のことです。「フォーキャスト」とは、「予測・予報」という意味。「このままいくと、どうなるか」です。例えば、「今夜、前線が発達するので、明日の朝には雨が降るでしょう」という具合です。

例えば、「来年の計画を立てましょう」、「二、三年後のビジョンを作りましょう」という場合は、現状をベースに考える「フォーキャスティング」しかできないかもしれません。でも、「10年後にこうあってほしいまちの姿」や「30年後のありたい組織」を考えるときには、現状立脚型のアプローチでは難しいでしょう。フォーキャスティングによるビジョンは、現状の延長線上のものしか出てこないからです。それではあまり遠くまで行けません。大きく変えたり、不連続の変化を考えたりすることは難しいのです。

そこで役に立つのが、「バックキャスティング(backcasting)」という方法です。「バックキャスト」とは、「目的地」から「現在地」に向けて、「後ろ(バック)」に投げる、つまり、「将来から現在を振り返る」という意味です。

「今、何ができるか、できないか」「今、何があるか、ないか」といった現状はいったん脇に置いて、「あるべき姿は何なの？」「ありたい姿は何なの？」を描きます。まったくの理想像でよいので、「すべて思うようになったら、どういう姿になりたい？」を考えるのです。未来から考えるというやり方です。「お金がない」とか「人がいないから」とかではなくて、「ありたい姿」をまず考えます。

先ほどの天気予報をバックキャスティングで言えば、「明日の朝に雨を降らせるために、今夜これから、前線を発達させましょう！」となります。「フォーキャスティング」と「バックキャスティング」は、出発点がまったく違うことがわかると思います。フォーキャスティングは「現状」から出発しますが、バックキャスティングの出発点は「未来の理想像」なのです。

地域の現状を考えると、「まったくの理想像なんて、現実性がないではないか」と思うかもしれません。たしかにバックキャスティングで描いたビジョンをすべて実現するのは難しいでしょう。それでも、フォーキャスティングで「できそうな未来」だけを考えた場合に比べれば、遠くまで進んでいくことができます。また、ビジョンを描いて〝おしまい〟ではありません。そこからそれを実現するための手立てを考え、実行していくのです。

大事なのは、ここでしっかりとみんなで「ありたい姿」を描くことです。途中でどんなに大変なことがあっても、「みんなであそこを目指しているよね」というゆるぎのない「北極星」があれば、みんなのまちづくりへの取り組みを支え、力を結集してくれます。

そして、言うまでもなく、ビジョンを作るというのは、ゴールではなく、スタートにすぎません。「あそこを目指そうね」という目標地が決まっただけで、まだ一歩も歩いていません。そこでおしまいにしては何も変わりません。

しかし、残念ながら、少なからぬ地域で、せっかくビジョンを作っても、それでおしまいになっています。作ることが目的化して、「発表しておしまい」になっているのです。そのまま、役所かどこかの棚に置かれて埃（ほこり）をかぶるだけという、かわいそうなビジョンにしてはいけません。

ステップ：つながりをたどって現状の構造を理解し、望ましい好循環を描く

ビジョンを描いたのちに考えるべきことは、「今、どうしてそうなっていないのか？」「このまま、何も手を打たないと、どうなっていくだろうか？」ということです。ほとんどの場合、このままの状況が続くと、ありたいまちの姿には到達しないでしょう。それは今どういう構造になっているからなのか？　それをどう変えれば望ましい未来がつくれるのか？　を考えていき

ます。

「構造」と聞くと難しそうに思えるかもしれませんが、簡単な例で説明しましょう。次の文章を読みながら、図1を指で追っていってください。

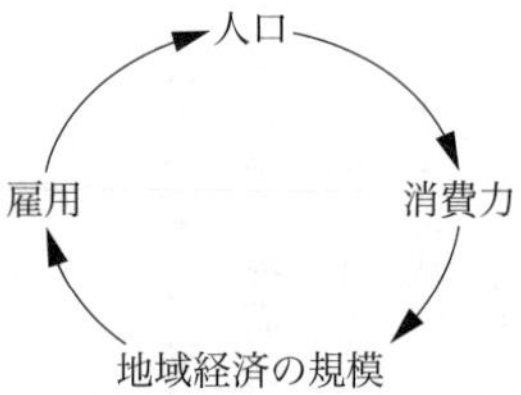

① 「人口」が増えれば、買い物をする人が増えます。つまり、「消費力」がアップします。

② 買う人が増えれば、まちにあるお店も増えるでしょう。「地域経済の規模」が大きくなります。

③ そうすると、そこで働く人たちも増える、つまり、「雇用」が増えます。

④ 雇用が増えれば、まちで働く人やその家族が増えますから、ますます「人口」が増えます。

人口
消費力
地域経済の規模
雇用

図1　まちの構造の一例

地域の経済にはこのような「つながり」がありますよね。このような「つながり」を「構造」と呼びます。

ここでは「ますます人口が増える」好循環の例を挙げましたが、多くのまちでは現在、この構造が悪循環となっています。「人口が減る」↓「買い物する人が減る」↓「お店がやっていけなくてつぶれてしまう」↓「そこで働いていた人が町外に出ざるをえなくなる」↓「ますます人口が減る」――これは、多くの地域でなんとかしたいと考えている悪循環の一つです。

「構造」として考えてみると、不思議だなあと思いませんか？　なぜって、同じ「構造」なのに、悪循環にも好循環にもなるからです。日本のまちの多くが直面しているのは、「多重の悪循環」です。人口減少、人手不足、消費力や市場の縮小、税収の減少、公的サービスの縮小、投資の縮小など、様々な悪循環が連鎖し、そのうち、冒頭に述べたように、人々の「希望」や「やる気」まで減少し始めます。そうなると、ますます悪循環に拍車がかかってしまいます。

でも、こうして構造として考えることで、「だれが悪い」と人を責めるのではなく(あの人が悪い、行政が悪い、住民が悪い、あそこの団体が悪い、首長が悪い、議会が悪い……)、「この構造を変えるために、どうしたらよいか？」をみんなで考えることができるようになります。

例えば、全国の市区町村が小さな乳幼児のいる子育て世帯などに対して、地域でお得に買い物ができる「プレミアム付商品券」を発行するのも、「人口減少が消費力の減少につながる影響を緩和する」ための取り組みの一つと考えられます。

また、域内の消費力が減少しても、お店や事業所が維持できるようにするためには、域外の販売先を開拓する「外商」も役に立つでしょう。ふるさと納税もここにつながる取り組みと考えることができます。

そして、たとえお店や事業所が減るなど、地域経済の規模が縮小しても、雇用を守ろうとするなら、ワークシェアリングも工夫できるかもしれません。シェアする分、収入が減るなら、副業支援もできるかもしれません。そうして、少しでも雇用を守ることができます。

また、町外で働いている町民は働き口(雇用)があるからそのまちに住んでいるわけではありませんが、そういう住民にも町民として住み続けてほしいという思いで、町外へ通勤する人への通勤手当をまちが出すというユニークな取り組みもあります。

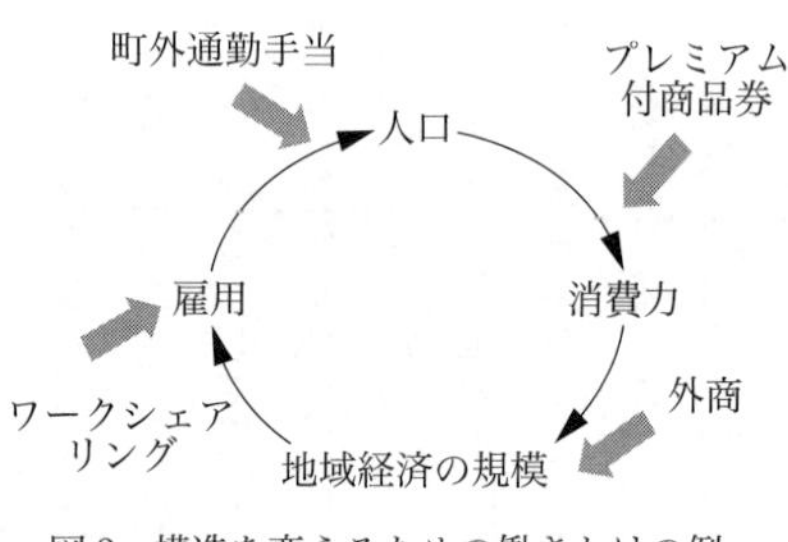

図2　構造を変えるための働きかけの例

例えば、北海道沼田町では、「子育て世帯町外通勤者支援事業」として、町内に居住する子育て世帯で町外の職場に勤務する人に対して、通勤距離に応じて、最大で月額6000円、年額7万2000円相当額の「町内で利用できる商品券」を渡しています。これによって、町内で働いていなくてもまちに住み続ける魅力が増します。加えて、これは町内でしか使えない商品券ですから、町内の消費力をアップする役割も果たしていることがわかります。

「構造」の紹介のために、非常にシンプルな例を取り上げましたが、構造を考えることで、構造上の様々な場所に対する働きかけの案を考えられることがおわかりいただけたと思います。

このように、要素をつないで構造を示す図を「ループ図」と呼びます(ループ図と呼んでも、ループが閉じていないものもあります)。実際には、まちの構造はもっとたくさんの要素が複雑に入り組んでいます。「何は何につながっているんだろう?」とみんなで考えながら、自分たちにとって大事なところ、自分たちが変えられる可能性のあるところを中心に、まちの構造を探っていきます。

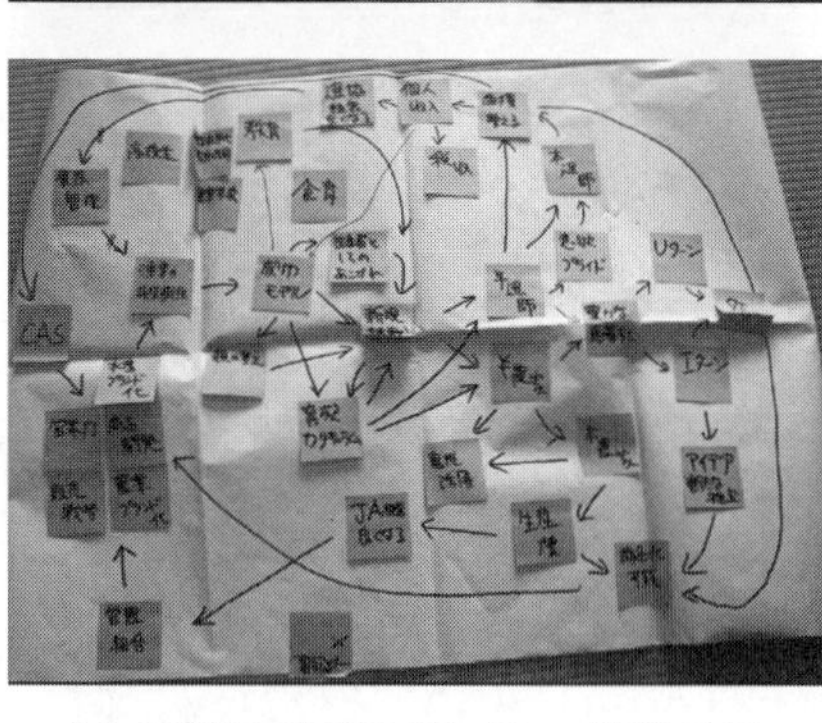

まちの構造の要素を出し合い，付箋で示し，つなげてみる

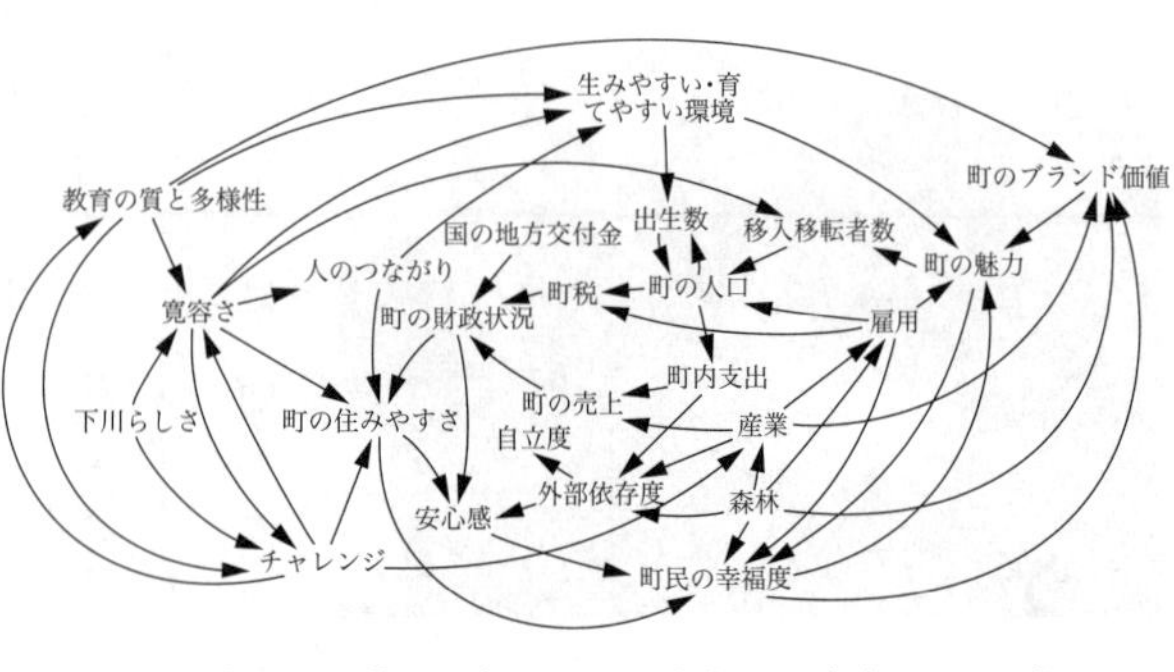

図3　下川町の「2030年におけるありたい姿」のループ図

そして、「現在、どのような悪循環になっているのか」「このままだとどういう悪循環に陥りそうなのか」「何かを変えようとしても動かないのは、どういう構造があるからなのか」「望ましい未来に向かって動いていくためにはどのような好循環を回せばよいのか」を考えていきます。この時点で、「だったらこうすればいい」「こんなプロジェクトができそう！」と対策や解決策がいっぱい浮かんできますが、ここでは対策を考えることはいったん脇に置いて、まずは構造を明らかにすることに注力します。

北海道下川町で「2030年におけるありたい姿」をSDGs（持続可能な開発目標）の17目標をベースに考えたときのループ図が図3です。最初からこのようにきれいにできるわけではなく、もつれたスパゲティのようなぐるぐるのつながりを何度も何度も描きながら、最終的に整理したものです。

ジャンプ：悪循環を断ち、好循環を強めるプロジェクトを立案・実行する

現在の構造や悪循環、好循環につながる望ましいつながりなどを考えたあとに、ようやく解決策やプロジェクトを考える段階になります。「これが問題だから、こうしよう」ではなく、「これが問題だ。この問題を生み出している構造はこういうものだ。その構造のここを変えるために、こういう取り組みをやろう」と考えていくのです。回りくどいように思うかもしれませんが、そうすることで、問題の症状に対する対症療法ではなく、問題の構造に働きかける本質的な解決策を考えることができます。

特にループ図の中で、いくつもの矢印がつながっているあたりが重要です。そこを変えることができれば、多くの波及効果を生み出せる可能性があるためです。

下川町の例で言えば、ループ図の真ん中下あたりに「外部依存度」とあります。まちの経済(町民や事業者、行政のお金のやり取り)が町外に頼っている割合、ということです。みんなが町外で買い物をしているのは、外部依存度が高い状態です。外部依存度が高いと、まちのお金が町外に出ていってしまいます。「外部依存度が高いと、まちの「自立度」を損ない、「町民の安心感」も下がってしまう」とビジョンづくりに参加した委員のみなさんは考えました。

そこで、ここを何とかできないかということで、「小規模多品種農産物生産と循環型流通シ

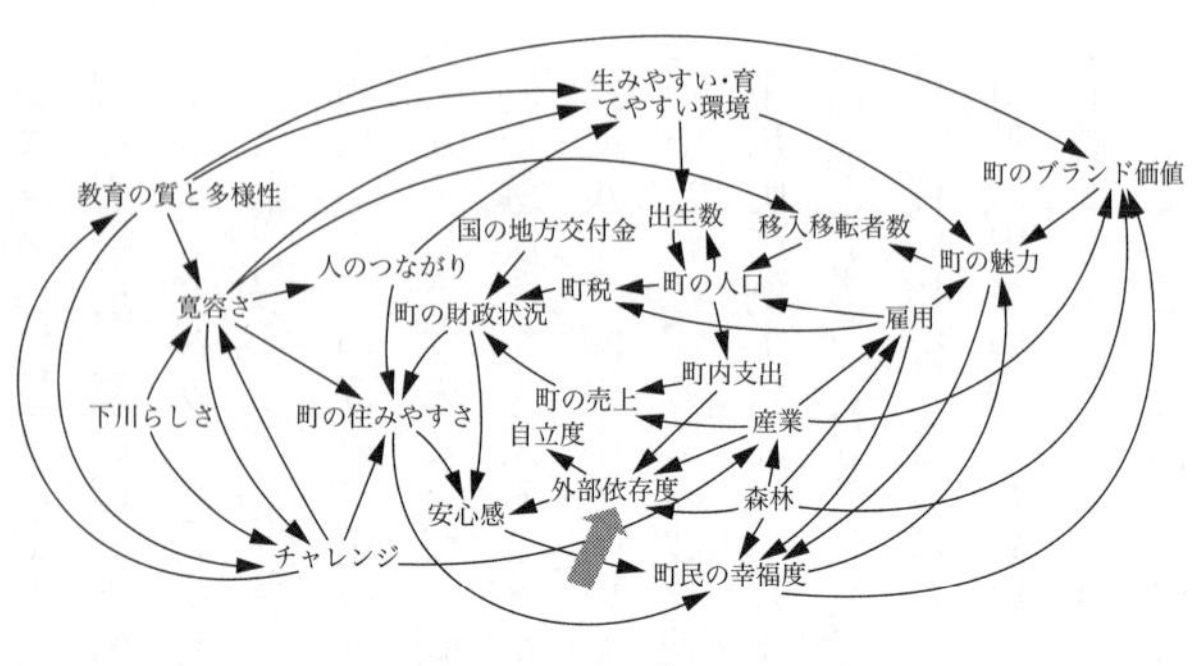

図4 「外部依存度」への施策案

ステム創出事業」という事業が施策案の一つとして出てきました(図4)。

とても長い名前ですが! どういうものか紹介しましょう。下川町は農業が盛んで、まちの経済にとって大きな黒字をもたらしてくれています。フルーツトマトが有名で、とってもおいしくて私も大好きです! でも、このフルーツトマトをはじめ、まちの農家が作っている作物は町外に販売するためのものなので、農業が盛んなまちなのに、まちの人たちは、食べている野菜のほとんどを町外から買っています。「このお金の漏れを何とかしたいよね」という話になりました。

フルーツトマトの農家さんにはどんどん町外に売って稼いでほしいから、そこは変えられない。ではどうしたらよいか? 調べてみると、まちの中に家庭菜園をやっている人がけっこういることがわかりました。仕事から引退したおじいちゃんや元気なおばあちゃんたちがいっぱい野菜を作っているのです。その人たちは野菜のほとんどを自給できています。周りの人たちもおすそ分けをもらって、町外で野菜を買うことはあまりありません。自分たちで食べても食べても、おすそ分けをしてもしても、まだ余ると言います。「だったら、余っている家庭菜園の野菜を、家庭菜園を持っていない人、特に移住されたばかりの人など、〝おすそ分けネットワーク〟に入っていない人たちにつなげられたらいい！」。

「小規模多品種農産物」と言うとカッコよいですが、つまりは家庭菜園で作っている野菜のことです。家庭菜園での野菜の栽培を応援し、それを、今は町外から買っている人たちに上手につなげれば(＝循環型流通システム)、町外から野菜を買わなくてもよくなるよね、というプロジェクトです。ビジョンを作り、ループ図で構造を考えた上で、下川町でやろうとしている施策案の一つです。

もう一つ、図5に矢印で示していますが、「生みやすい・育てやすい環境」という要素も重要だと考えました。みんなが、「このまちで赤ちゃんを生みたいね」「子どもを育てやすいよね」というまちにしないと、若い人たちは入ってこないし、出て行ってしまいます。すると、出生数や人口が減るだけでなく、「まちの魅力」にも響いてしまう、と委員たちは考えました。

そこで「生みやすい・育てやすい環境にするために、下川町には何が必要か？」と子育て中

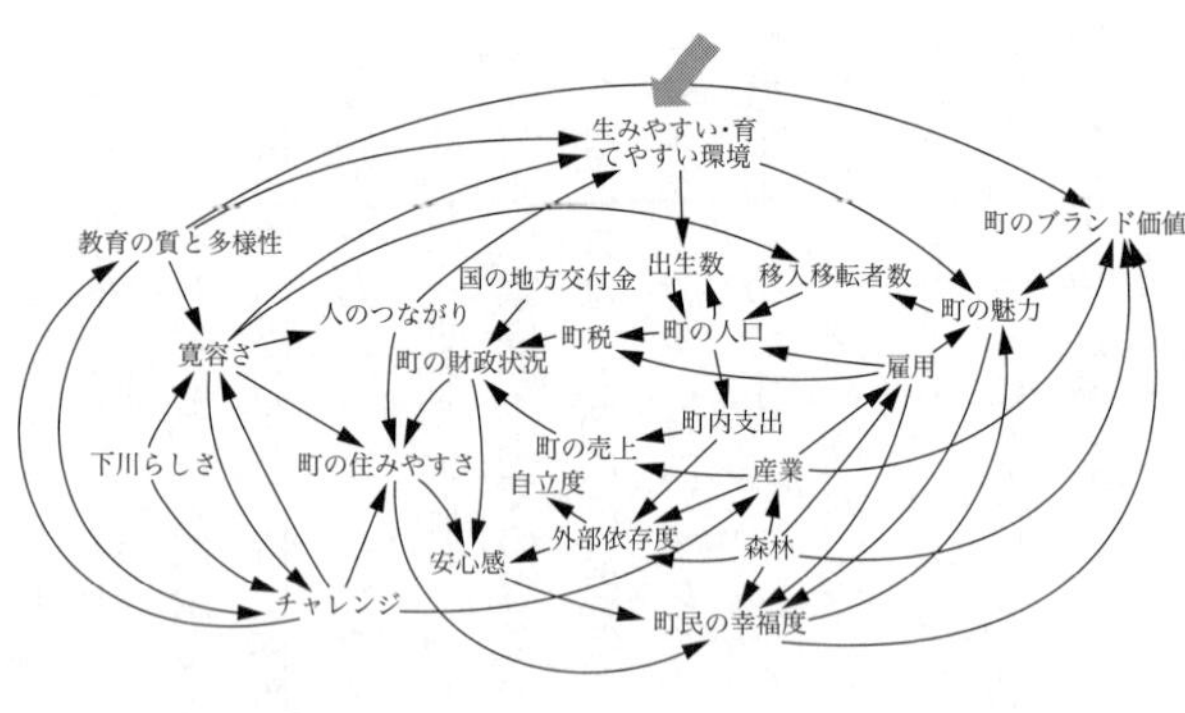

図5 「生みやすい・育てやすい環境」への施策案

のお母さんたちにいろいろヒアリングをしてみたところ、「一時保育がなくて不便だ」という声がたくさんありました。もちろん仕事などで子どもを預けることはできるのですが、「ちょっと歯医者さんに行きたい」「美容院に行きたい」というときに、心置きなく預けられるところがあればうれしい！ という声です。そこで、「あんしん子育てサポートシステム」という名前で、預けたいときに子どもを安心して預けられるしくみを作ることも、ビジョンをベースとした施策案の一つとなりました。

このように、まちづくりの「ホップ」「ステップ」「ジャンプ！」の3ステップを進めていきます。と言っても、私はあくまでもプロセスの設計と場の進行をサポートするファシリテーターで、実際に進めていくのはまちの人たちです。多くの場合、まちづくりやビジョンづくりのための委員会が設置され、十数人〜二十数人の委員さんたちが主役です。

推進体制を作る

具体的なステップの進め方を説明するまえに、このプロセスを進めていく体制について書いておきましょう。これまでの経験から、大事だと思うポイントは、

① まちの総合計画などの柱として共有ビジョンを位置づけること
② 共有ビジョンを作る委員会の委員は公募で募ること
③ その後の実行段階も考え、できたら町民委員(民間)と、役場職員委員の混成チームにすること
④ 移住者が多い地域の場合、地元の人と移住者の割合を半々ぐらいにしておくこと

などです。

まず大切なことは、「まちの共有ビジョンの位置づけ」をあらかじめ明らかにしておくことです。ビジョンを作るとなると、参加メンバーはかなりの時間を費やす必要があります。そうして頑張ってみんなで作るビジョンが、まちのためにどのように使われるのか、その位置づけを知らせておく必要があります。あらかじめ位置づけを決めておかないと、「作って終わり」

になりかねません。「一生懸命作ったのに、あのビジョンはどうなってしまったのだろう?使われていないみたいだけど……」という状況は、住民の不信感につながり、まちづくりにとって逆効果になってしまいます。ここは十分に気をつける必要があります。

私がこれまでお手伝いしてきた、まちの共有ビジョン策定の経緯や体制の概要を紹介しましょう。

最初にビジョンづくりのお手伝いをしたのは、島根県隠岐郡の海士町です。本土からフェリーで3時間ほど、隠岐諸島の一つである中ノ島にある海士町は、人口約2350人、農業と漁業の盛んなまちです。かつてまちの人口が激減し、財政破綻寸前という危機状況に陥ったのち、「島まるごとブランド化」「高校魅力化」などの素敵な取り組みを展開し、近年移住者や視察者が引きも切らないという、〝地方創生のモデル〟と言われるまちです。

成功事例と言われる海士町にも課題がありました。それは「世代交代」です。十数年間、危機から海士町を立ち直らせたまちづくりは、強力で魅力的なリーダーである当時の山内町長や、「四天王」と呼ばれた当時の課長さんたちが捨て身で進めてきたものです。しかし、そろそろ世代交代をしていかなければ……。

そこで海士町では、国が自治体に「地方創生総合戦略を策定せよ」と出した指示を受け、まちづくりを進めていける次世代の仲間づくりを目指して、海士町版創生総合戦略策定のための住民参加型会議を２０１５年３月に立ち上げることにしたのでした。それが「明日の海士をつくる会」（通称：あすあま）です。

あすあまメンバーはどのように募集したのでしょうか？「20～40歳代の男女で、戦略を策定するだけでなく自ら成し遂げたいという強い思いをもつ者」という資格を設け、町内および役場内に募集をかけました。年齢制限がついているのは、次世代のまちづくりにつなげるためです。商工会青年部や役場の若手から手が挙がり、まちの「キーマンになるあの人も呼ぼう」とメンバーで呼びかけ合い、最終的に20名が応募しました。民間からのメンバーが11名、漁業、農業、飲食、建設建築、教育、福祉など、幅広い分野から参加し、行政からも総務、産業、建設、福祉、教育など、様々な部署から９名が集まりました。

町長から委嘱状を受け取ったあすあまメンバーは、約半年かけて、次世代の考える新たなまちづくりを示した「あすあまチャレンジプラン」をまとめ、まちはこのプランをベースに、海士町創生総合戦略「海士チャレンジプラン」を策定しました。この総合戦略は国の「まち・ひと・しごと創生法」に基づくものです。あすあまメンバーには、自分たちが作る「共有ビジョン」が、国の法律に基づくまちの創生総合戦略のベースになることが当初から伝えられていましたし、メンバーもそのつもりで頑張りました。

そして、以前より海士町とつながりのあった私は、「あすあまチャレンジプラン」を作るプロセスの設計とファシリテーションを担当しました。戦略そのものではなく、戦略づくりのプロセスのお手伝いです。

あすあまは、半年間に合計13回の会議を開き、一回あたり4時間ほどかけて、じっくりと議論をしました。休日や仕事後の時間も使いながら、ときには夜遅くまで議論を深めました。私も毎月お邪魔して、具体的な作業の説明をしながら、プロセスのファシリテーションをしました。

私は、あすあまチャレンジプランができたあとも、「海士町魅力化ファシリテーター」という肩書きをいただき、時々訪問するほか、「海士町らしい幸福」を測る幸福度調査を担当したり、「ないものはない」という海士町の素敵なスローガン・あり方を理論化して、香港で開催されたＱＯＬ（クオリティ・オブ・ライフ）に関する国際会議で世界に発信するお手伝いをさせていただいたりしています。

その次にお手伝いさせていただいたのが北海道下川町です。そして、２０１８年度には、熊本県南小国町のお手伝いも始まりました。南小国町は人気の黒川温泉をはじめ、いくつもの温泉地を持つ人口４０００人ほどのまちです。海士町のあすあまメンバーたちと、黒川温泉の取り組みを学びにうかがった際に、南小国町の髙橋町長とご縁をいただき、海士町や下川町の取り組みをお聞きになって、「ぜひ一緒に」という話になったのです。

まちの総合計画の屋台骨とすべく、「２０５０年のありたい南小国町の姿」という共有ビジョンを作ることになりました。共有ビジョン策定委員会のメンバーは、公募に手を挙げた、11名の町民と有志の役場職員15名の計26名です。町民委員は、観光業、農業、林業、畜産業、個人事業主など、幅広い分野から集まりました。約半年かけて、全部で10回の委員会を開催し、共有ビジョンを作り上げました。私は、ＳＤＧｓの枠組みを用い、共有ビジョンづくりのプロセスの設計とファシリテーションを担当しました。

半年続いた委員会の最終回、町会議員や町民の集まる中、一列に並んだ共有ビジョン策定委員が「共有ビジョン」をリレー式に手渡しして回し、最後に町長に手渡しする形で、手交式を開催しました。その後、南小国町では、この共有ビジョンを柱に、まちの総合計画を策定しています。私は「南小国町政策顧問」という肩書きをいただき、ビジョンの実現のためのプロジェクトなどのお手伝いを続けています。

徳島県上勝町でもまちづくりをお手伝いしています。上勝町は葉っぱビジネスやゼロ・ウェイスト(ごみゼロ)の取り組みで、全国・世界にも知られるまちです。上勝町では、2020年度からまちの最上位計画である「活性化振興計画(総合計画)」の策定を進めるにあたり、これまでの取り組みをベースに、さらに国内外の新たな社会潮流であるSDGsを採り入れ、「2030年のありたいまちの姿」を共有ビジョンとして描くことを決めました。

町民向けの説明には、このように書かれています。「計画策定に当たっては、目の前の課題解決だけの視点でまちづくりを進めるだけではなく、これから生まれてくる未来世代のことや本町を取り巻く社会情勢の変化などを予測しつつ、将来像となる本町の「ありたい姿」を描き、そこから現時点を振り返り、長期的、複眼的な視点でまちづくりを進めていく必要がありま す」。

2019年度に、「2030年における上勝町共有ビジョン(ありたい姿)」を描き、共有ビジョンを踏まえた、活性化振興計画(総合計画)などを策定し、具現化のための事業を立ち上げました。共有ビジョン策定を担当する「SDGs推進委員会」が設けられ、公募の結果、9名の町民と6名の役場職員が委員になっています。

以前からゼロ・ウェイストの活動などを通して、上勝町とつながりのあった私に協力要請があり、プロセスの設計とファシリテーションを担当しています。委員会では、約半年にわたって7回の本会議と、同じぐらいの回数の自主会合を経て練り上げてきた共有ビジョンをパブリックコメントに付し、より多くの町民の意見を聞いて仕上げました。現在は、ビジョンの実現への進捗を測るための指標づくりを進めています。

以上、お手伝いしてきたまちの具体的な推進体制を紹介しました。委員会を設置して進めていく上で、さらに留意すべき点をいくつか、自分の経験からお伝えしましょう。

一つは、委員会の回数です。私がお手伝いする場合は、だいたい月に1回ペースで、半年〜1年ぐらい、委員会を開催することが多く、10回ほど委員会が開催できると、三つのステップ（ホップ、ステップ、ジャンプ）をかなりしっかりと進めていけます。一回あたり、だいたい2時間〜2時間半が多いです。

もっとも、回数によっては、三つのステップの最初の「ホップ（共有ビジョンを描く）」で時間切れになることもあります。その場合は、翌年度に続きの「ステップ」「ジャンプ」を進めたり、指標を考える作業を続けることもあります。また、ほとんどの場合、私がファシリテーターとしてお手伝いする本会議以外に、委員さんたちが自主会合や分科会を開催して、議論を深めていました。

二つめは、委員会を開催する時間帯に気をつけます。時間帯によって参加しづらくなる層がいることを忘れない、ということです。お勤めの委員が参加しやすいよう、夜6時半ぐらいから委員会を開催することが多いのですが、この時間帯だと、子育て世代のお母さんなどが参加しづらくなります。そのため、昼間の時間にも委員会を開催したり、夜に行う場合は保育サービスをつけるなど、工夫が必要です。時間帯によって参加できる人を制限してしまわないよう、気をつけてください。

三つめはファシリテーターの役割です。町民委員も、役場職員委員も、まちの住民としてのびのびと考えを膨らませ、未来を描き、プロジェクトや指標を考えてもらいたいので、進行はファシリテーター役に徹するだれかに任せるのがやりやすいと思います。

私がファシリテーターを務めるときは、進行のペースに気をつけます。地元の人と移住者では発言のペースが違うことがあります。東京など都市部からの移住者はパッと考え、すぐに口に出す人が多く、地元の人はじっくり考え、いっぱい考えているのに口が重い、ということもよくあります。私も都市型の人間なので、気をつけないと、都市のペースで進行してしまいます。それでは地元の人の大事な意見が聞けずに終わってしまうこともあるので、注意しながら進行します。

四つめは、委員会の記録をとっておくことです。プロセスの透明性のためにも、あとから参加したり関心を持ったりする人のためにも、毎回の会議でどのようなことを考え、どんな議論

グラフィック・レコーディングの例

があったのか、記録しておくとよいでしょう。作業した模造紙や貼り付けた付箋を写真などで記録に残したり、ビデオを回して、動画として記録することもできます。

最も有用なのは、グラフィック・レコーディング（通称：グラレコ）です。これは議論や発表を、リアルタイムで模造紙や白板に文字やイラストなどで記録していくことです（写真）。グラレコができる人に協力をお願いできれば、毎回の議論をわかりやすく残してもらうことができます。上勝町では新居慧香さんという、すばらしいグラレコの描き手が参加してくれたので、毎回、前回までの議論と到達点をみんなで確認してから、議論に入ることができました。おかげで、途中で議論の蒸し返しが

起こって振り出しに戻ることもなく、スムーズに進行できたと思います。

推進体制の説明まで終えたところで、このあとはいよいよ、3ステップの最初の「ホップ：バックキャスティングでビジョンを作る」について説明しましょう。

第2章　まちづくりのホップ

1 バックキャスティングでビジョンを作る

ビジョンとは何か

みなさんの組織や地域には、「こういう姿になりたい!」という将来ビジョンがありますか?

ビジョンとは何でしょうか? なぜ大事なのでしょうか?

辞書で「ビジョン」を調べると、「将来の構想。展望。将来を見通す力」などと出てきます。「視力」という意味もあります。言うまでもなく、ビジョンは英単語「vision」ですが、英語には、現在から未来を見るときの言葉はいくつかあります。例えば、「projection(予測、計画、投影)」、「prediction(予報、予言)」、「prospect(見込み、見通し)」など。これらの単語と比べると、「ビジョン」という単語には、能動的で「こうするぞ!」という強い意志が感じられる気がします。

Oxford English Dictionaryでvisionを引くと、まっさきに「Something which is apparently seen otherwise than by ordinary sight」という定義が出てきます。ビジョンとは、他の人には

見えないものが見える、という意味もあるのですね。

そして、ビジョンは「描く」と言いますよね。でも、予測は「描く」とは言いません。ビジョンは「見えてくるもの」ではなく、「見るもの」なのだ！と思うのです。

ビジョンが重要であると思うのは、それが「向かっている行き先、目的地」を示すものであるからです。行き先がわからないのでは、進むための努力も徒労に終わってしまうでしょう。

ただし、ビジョンは「○丁目○番地」といった終着点の住所ではなく、「向かっていく方向」だと考えてください。私はよく「北極星のようなもの」だと言います。北に向かって進んで行きたいとき、北極星を頼りにすることができます。北極星が煌々と輝き続けている限り、それに向かって歩いて行く限り、間違いなく北に向かって進んで行くことができます。そんな存在と役割がビジョンなのだと思うのです。

ビジョンの効用とは何か

ビジョンを設定すると、どんな良いことがあるのでしょうか？

一つには、ぶれずに進んで行くことができるようになります。私たち一人一人も、企業などの組織も、地域も、社会や国も、ビジョンを設定することで、進んでいる自分たちの進捗を確認する物差しが手に入るからです。果たして自分たちは目指している方向に向かって進み続けているのか？　それとも少しずれてきてしまっているのか？　ビジョンが明確であるからこそわかります。

また、何らかの変化を起こそうと進めていくときには、往々にして大変なことが起こります。横やりが入ることもあるでしょう。反対する人たちも出てくるでしょう。自分たちにはなんともしがたい、予想もしていなかった出来事や災害が起きるかもしれません。それでも、「私たちはあそこを目指して頑張っているんだよね」という、共有する土台があれば、大変な中でも進んで行くための原動力を生み出すことができます。これもビジョンの大きな役割です。

そして、現状立脚型でなく、「ありたい姿」を描くことから始めるバックキャスティングのアプローチでビジョンを作ることで、そうでなければありえなかったほど、大きな変化を創り出すことができるようになります。個人、企業、都市、国の例を挙げましょう。

バックキャスティングのアプローチで作ったビジョンの例

個人の例は、昔の自分自身の話です。29歳のとき、2年間米国に、当時の夫の留学について行くことが決まった私は、「この2年間で、何かスキルを身につけないと、帰国後の自分には居場所がないだろうな。どうしようかな、まあ、せっかく米国に行くのだから、苦手でコンプレックスのある英語を勉強しよう」と考えました。そして、「2年間しかないし、ふつうのやり方では仕事になるような英語力は身につかないだろう。だったら、いっそ、いちばん高い目標を設定してみたらどうだろう？　それだけ頑張って進めるかもしれない。英語でいちばん高い目標と言えば……、そうだ、同時通訳だ！　2年後に成田空港に降り立った自分は同時通訳ができるようになっているんだ！」と、当時の自分の情けない英語力の延長線上には決してありえない目標を設定したのでした（現状から遠すぎて恥ずかしく、だれにも言いませんでしたが）。

でもそのおかげで、「ではそのためには何が必要なのだろう？　どういう力をつければよいのだろう？」と、未来のありたい姿からバックキャストするやり方で、2年間の英語勉強法を工夫し、帰国後には実際に逐次通訳者として、数年後には同時通訳者として仕事をするようになっていました（このあたりの顚末やどうやって英語を勉強したかなどは、『朝2時起きで、なんでもできる！』（サンマーク出版）に書いています）。大事なことは、2年間の米国生活が決まったときに、「今の自分は日常会話も十分にできないから、まずは会話から始めよう。それができるようになったら、初心者向けのコースに入って、それから……」とフォーキャスティングで考えていたら、今の自分はなかった、ということです。

次に、企業の事例として、セイコーエプソンのフロンガスへの取り組みを紹介しましょう。かつてオゾン層の破壊が問題になったとき、政府は「フロンガスの段階的削減」を企業に求めることになりました。半導体の製造工程でフロンを使用していたセイコーエプソンも、自分たちの使っている量を調べたところ、かなりの量を使っていることがわかりました。

フロンは人体にも環境にも良くないものだということを知った当時の中村社長は、「段階的削減ではなく、ゼロにせよ」と言われたのです。「人体にも環境にも悪いということがわかったのなら、使うべきではない。だからセイコーエプソンはフロン使用量をゼロにする」と。当時、フロンを使わずに半導体を製造する技術はありません。どうやってゼロにするかはわかりませんでした。それでも、「あるべき姿」として「フロンゼロ」を掲げたのです。まさにバックキャスティングでのビジョンです。

「フロンがなければ半導体は作れません」と社内から反対の声が出たとき、社長は「フロンがなければやっていけない事業はやめたらよい」とまで言われたそうです。そこで、製造現場も死に物狂いで、フロンなしに半導体を作る方法を模索しました。フロンは、最後の工程で半導体を洗浄する際に必要でした。技術者たちは必死になって、最後の洗浄工程でフロンの代わりになるものを探します。しかし、どれもフロンのようにきれいに洗えない……。

万策尽きたかと思ったそのときに、一人の若い技術者が言いました。「そもそも、何で洗っているんだろう？」――製造工程で製品に汚れが付くから、最後に洗ってきれいにしているのだ。だったら、製造工程を工夫して汚れが付かないようにすればよいのではないか。まったく違う発想をしたのです。そうして、製造工程を全部見直すことで、計画より1年前倒しでフロンを全廃したのでした。バックキャスティングによる〝ありえない〟ビジョンがイノベーションを生むという好事例です。

次に、都市の事例として、システム思考の入門書『なぜあの人の解決策はいつもうまくいくのか？』（東洋経済新報社）から、クリチバ市の例を引用します。

「ブラジルのクリチバ市は、１９５０年には15万人だった人口が２０００年には１５０万人にふくれあがるという見通しをもとに、１９６５年に都市計画に着手しました。「自動車中心の社会になっては大変だ」と思った当時の市長レーナー氏は、市内をクモの巣のようにバス路線で覆い、1～2回乗り換えれば、どこからどこへでもバスで移動できる交通網を整備しました。バス・レーンは分離帯で自動車道から独立させました。この物理的な構造のため、渋滞している自動車道を尻目に、バスはスイスイと走ることができ、人々も好んでバスを使います。

「そうでなかった場合」に比べて、自動車の台数も走行量も大きく減らすことができているのです」

クリチバの当時の市長は、「何も手を打たなければ人口増大のあとには大変なことになってしまう。そうではなく、人口が多くても、自動車に頼らずに市民が行き来できる、環境に優しいまちにしたい」と考えました。現状の延長線上ではなく、現状からは不連続の「ありたい姿」から都市のビジョンを描き、実現した事例です。

最後に、国だってバックキャスティングでビジョンを描くことで大きく進んでいける！という例です。

環境先進国スウェーデンは、温暖化に対してバックキャスティングで目標を定めています。まだ長期目標を出す国がほとんどなかった２００９年に、「２０５０年には、温室効果ガスを１００％削減する」という目標を掲げたのです。それは「温暖化は進めてはならない。だとしたら、温暖化を進める二酸化炭素などの温室効果ガスはゼロにすべき」という「あるべき姿」からのビジョン設定でした。もちろん当時、どうやってそれを達成できるかわかっていたわけではありません。それでも「あるべき姿」としてのビジョンを掲げたのでした。

政府は、この目標を達成するために、エネルギー税や炭素税、再生可能なエネルギー源による発電への補助、省エネ対策の補助、地方自治体へのインフラ助成、エコカーとバイオ燃料の免税、電力認証制度導入、地方自治体の地球温暖化対策支援、エネルギー多消費型産業の省エネ対策、国民への啓発情報キャンペーンなど、次々と重要な政策を導入しました。

そして、２０１５年にパリ協定が採択されたことを受け、２０１６年にはこの長期目標を見直し、「２０４５年に温室効果ガスの排出量を実質ゼロにし、その後はマイナスにしていく」と、目標達成の年を5年前倒しししています。ビジョン達成のために、気候変動法が成立し、中立的な立場で政府に必要な政策を提案する、気候変動政策委員会も設置されました。この委員会の提案を受け、現状の政策と法体制では目標達成が難しいとして、スウェーデン政府は法律の見直しを決定しています。

バックキャスティングで「あるべき姿」をビジョンとして打ち出したからこそ、その実現のために法規制や補助・助成、様々な対策を動員することができ、野心的な目標に向けて着実に進んでいくことができているのです。

ここまで、大きく未来を変えたいとき、バックキャスティングでビジョンを作ることが、個人にとっても、企業や組織にとっても、まちや国にとっても、いかに重要かを説明しました。バックキャスティングのビジョンは、個人であれば自分で描くことができます。企業や都市であれば、経営者や市長がビジョンを描いて打ち出せば、社員や行政職員はそれに従って動くようになるでしょう。

まちづくりのための共有ビジョンを作る

では、まちづくりにおけるビジョンはどうでしょうか？　まちづくりの一環として「まちのビジョン」を作るときには、個人や経営者、市長等の描くビジョンとは異なる大事なポイントがあります。それは、「共有ビジョン」であるということです。

ここでの「共有」とは、「だれかが作って、みんなにそれをわかってもらう」という一方通行の〝共有〟ではなく、「みんなでビジョンを描く」という意味での「共有」です。ビジョンという成果物だけでなく、ビジョンを描くプロセスも「共有」するということです。

まちには様々な考え方の人がいます。すべての人がすべてのことに対して同じ意見を持つ、ということはありえません。「ここに道路を造ったほうがよい」と言う人もいれば、「造らないほうがよい」と言う人もいます。「人口が減っていくのだから、この行政サービスはもうやめたほうがよい」と言う人もいれば、「やめてもらっては困る」と言う人もいます。そのような意見の違いをどうやって乗り越えていけばよいのでしょうか？　これまでの首長や行政が決めるやり方や、声の大きい人の意見が通るというやり方、意見が分かれるたびに多数決で決めるというやり方では、うまくいかないでしょう。

まちには様々な考え方や立場の人々がいるからこそ、まちづくりをするときには、みんなが同じ北極星を見つめ、心を一つにして、自分たちの間にある小さな違いを乗り越えていくことが必要なのです。共有ビジョンはこの「北極星」として役に立つのです。

これまでいくつかのまちの共有ビジョンを作るお手伝いをしてきました。その経験からも、「共有ビジョンがあるから、みんなで進める！」と思っています。それぞれに大事なことはあるけれど、「みんなでこのまちをこういうまちにしたいんだよね！」というイメージが共有できていることの強さです。立場もやっていることも違うけれど、「あの北極星に向かって進んで行くために、自分はこれをやるよ。君はそっちで頑張って」という話ができるからです。

そして、途中で何か大変なことが起こったとしても、「自分たちはあそこを目指して頑張っていたよね。もう一回頑張ろう！」という話ができます。そして、共有ビジョンがあるからこそ、そこに向かって進んでいるかどうか、みんなで時折確認し、必要があれば、軌道修正したり、取り組みを追加したり変更したりすることができるのです。

2　共有ビジョンの描き方のコツ

アイディアが出やすくなるコツ

まず、将来のある時点でのありたい姿を考えます。

「どの時点でのありたい姿を描くか」をすり合わせるために、「将来のある時点」を設定します。「まちの総合計画のためのビジョン」「ＳＤＧｓに沿ってのビジョン」などと位置づけが決まっていれば、それに合わせて「次の10年」「（ＳＤＧｓの目標年である）２０３０年」などと定まる場合もあるでしょう。特にそういう規定がない場合は、10年後、20年後、２０３０年、２０５０年など、だいたいのイメージでけっこうです。あとで変更・調整してもかまいません。

次に、そのときの理想の姿・ありたい姿を自由に想像します。

「理想が１００％実現したら？」「すべてが思うようになったら？」――その将来の時点で、どのようなまちであってほしいかを考えます。想像力の翼を広げてください。「こんなふうになっていたらいいな」「こんなまちだったらいいな」と思いつくことを、付箋にどんどん書いていきます。整理はあとで行いますので、気にせずに、ひたすら付箋一枚に一つずつ、思いつくことをどんどん書いていきます。

ここで、アイディアが出やすくなるコツをお教えしましょう。「理想像のありたいまち」と「現状のまち」を比べたときに、「増えてほしいもの」は何か、「減ってほしいもの」は何か、「変わらずにあってほしいもの」は何か？　を考えてみるのです。

このやり方は、まちづくりのビジョンづくりのお手伝いを始めた最初の頃に思いついたものです。「理想のありたいまちの姿を考えてください」と言っても、「うーん……」となかなかアイディアが出てこなかったので、ふとひらめいて「理想のまちになったら、今と比べて、何が増えていますか？　増えていてほしいものは何ですか？」と聞いてみたのでした。すると、「子どもの数！」「お店の種類」「みんなの笑顔！」など、次々とアイディアが出てきたのです。「では減っていてほしいものは？」と尋ねると、「空き家や空き地」「犯罪」「ひとりぼっちの高齢者」「ストレス」「配偶者の残業」などなど、これまた次々とアイディアが出てきました。「では、変わらずにあってほしいものは？」と問うと、「人と人とのつながり」「子どもたちの挨拶」「美しい里山の風景」「元気な高齢者」など、これまたいっぱい出てきます。

以後、まちのビジョンづくりのお手伝いでは、つねに「増えていてほしいもの」「減っていてほしいもの」「変わらずにあってほしいもの」を考えてもらうようになりました。どのまちでも盛り上がります。そして、みなさんの言葉を通して、ありたい姿のイメージが浮かび上がってきます。理想の姿「そのもの」は考えにくくても、「(現状と違って)こうあってほしい」という、「現状からの差分」は考えやすいのです。ぜひ試してみてください。

実際の会場では、4~5人ぐらいのグループに分かれてもらって、それぞれに模造紙と付箋、マーカーやサインペンを用意します。各グループで、「○○年の望ましいわがまち」を考えたときに、「増えてほしいもの」「減ってほしいもの」「変わらずにあってほしいもの」を出し合い、付箋に書いて模造紙に貼り付けていきます。30分ぐらいの時間を決めて、集中的に作業します。

「これはアイディア出しのブレインストーミングですからね、できるだけいろいろな方面からたくさんのアイディアを出してください。良いアイディアや悪いアイディアというのはありません。人の意見を否定せず、「じゃ、こんなこともできるんじゃない?」とお互いのアイディアに乗っかりながら、広げていきましょう」と伝えます。そうすると、わいわいと賑やかに作業が始まります。アイディアを出し合う楽しい時間です。

コツは、できるだけ様々な方向から考えること。「子どもたちにとっては、どんなまちになっていたらうれしいかな?」「高齢者にとっては、どんなまちであってほしいか?」「まちのお店にとっては？」「まちづくりにはどんな人たちが関わっていてほしい？」「他のまちや世界とはどんなつながり方をしていたい？」など、様々な角度から考えてもらえるよう促します。

各グループの様子を見ていて、「のびのびとアイディアが出せない雰囲気になっちゃっているなあ」と思うときには、「まずはアイディア数の勝負です！　どのグループがいちばんたくさんのアイディアを出すでしょうか？　あとで数えて報告し合いますよ」などと伝えます。まずはアイディアの数を出すことを優先することで、「こんなことを言っても大丈夫かな」「こんなバカげたことを言ったら、みんなにどう思われるだろう？」といった遠慮や引き止める気持ちを解放してもらいます。

また、盛んにアイディアが出ているグループもあるけれど、沈滞気味のグループがある場合には、時間の途中で、「ここで、他のグループの様子も見てみましょうか」と呼びかけて、「テーブルツアー」を行います。テーブルツアーでは、テーブルごとに説明要員として１人に残ってもらい、他のメンバーは他のテーブルの模造紙を見に行きます。こうすることで、他のグループではどんなアイディアが出ているかを見ることができます。説明要員のメンバーも、他のグループの人たちに質問されたり説明をしたりすることで、自分たちの考えを確認したり、足りなかった視点に気づいたりすることができます。５分とか10分など時間を決めてテーブルツアーを行い、「では、自分たちのテーブルに戻って、作業を続けましょう」と伝えると、各グループの話し合いやアイディアの出し方が、ぐんと力を増すことがよくあります。

現状や問題点はいったん脇に置く

バックキャスティングのビジョンづくりの最大のコツは、「自分たちの足を引っ張る自分たちの声に負けない」ということです。理想的なあり方を考え出すと、「現状から考えたら、そんなの無理に決まってる」、「そりゃそうなればいいけど、でも、いったいどうやって実現すればいいんだ?」というツッコミが自分たちの中から出てきます。そのときに大事なことは、「無理かどうか、どうやって実現するかは、あとで考えるから、ちょっと待っててね」と言うことです。

バックキャスティングでビジョンを考えるときは、「現状や問題点はいったん脇に置くこと」が大事なポイントなのです。実現可能性や実現手段については、「あとで考えることなので、この段階では考えない」と自分たちに言い聞かせます。理想を考えようとしても、どうしても「引き戻そう、遠くまで飛ぶのをやめさせよう」とする力が内から出てきてしまうのです。現状から考えれば、「そんなの無理」と思ってしまうアイディアもたくさんあるでしょう。でも、その声に引っ張られては思い切ったビジョンを描くことができません。

バックキャスティングのビジョンは、とても大きな変化や飛躍を生み出します。「そんなこと、できっこない」「遠すぎる」と思うかもしれません。でも、翻って、20年前のまちから「現在のまち」が想像できたでしょうか？　これから意識してまちを変えていこうとしているのなら、意識せずに変わってきたこの10年、20年よりも大きな変化が起こせます。そのように自分たちを励まして、思いっきり理想像を描いてください。

他にも、バックキャスティングでビジョンを描く際のコツがいくつかあるので挙げておきましょう。

できるだけ生き生きと描く

「何が何でも、あそこに行きたい。こんなまちにしたい！」というみんなの思いを引き出せるビジョンを設定することが大事です。ビジョンに向けて、何カ月も何年もかけて努力していく過程では、様々なことや難しい状況が生じることでしょう。ビジョンとは、そう簡単に到達できるものではないからです。そのとき、ビジョンに「あそこに行きたい！」と思わせる力があるかどうかが鍵です。

そう思わせるビジョンにするには、できるだけ生き生きと描くこと。最終的にビジョンを文言にするときには、抽象度の高い表現になるにしても、ビジョンを描くプロセスでは、できるだけ具体的に「これが実現したら、まちの人たちはどんな幸せを感じるだろう?」「みんな、どのようにまちでの暮らしを楽しんでいるだろうか?」と具体的に想像してみるのです。もちろん、それは想像力の創り出すイメージであって、それ自体がビジョンではありませんが、「ビジョンが実現した暁には……?」を夢見て、その要素をビジョンに入れていくのはとても楽しい作業です。

「ビジョン」と「手段」を区別すること

また、「どうやってやるの?」という方法論のほうが具体的で話しやすいため、つい、そちらに話が流れていくことがよくあります。そうならないよう、「手段はあとで考えることだから、置いておこう」とだれかが言って、想像の翼をもう一度広げる必要があります。ただ、そうは言っても、「ああすればいい」「こうしたほうがいい」「そのやり方じゃだめだ」という具合に、「ビジョン」ではなく、「手段」の議論になってしまいます。実際に実行するのは「手段」ですから、「手段」のほうが考えやすいのです。でも、その「手段」を手がかりに、「ビジヨン」を考えていくこともできます。

まず大事なのは、「手段」と「ビジョン」を区別すること。どうすれば、その区別ができるのでしょうか。出てきたアイディアに対して、「それは何のため？」と考えてみます。例えば、「空き家を減らしたい」というアイディアが出たとします。「それは何のため？　空き家が減ると、何がどうなるのでしょう？」と問いかけます。そうしたら、「古い空き家が倒壊する不安なく、まちの人が安心して暮らせるから」「まちがどんどん衰退していくさびれた感じがなくなるから」などの言葉が出てくるかもしれません。そうすると、大切にしたいものは「安心して暮らせること」や「さびれた感じがないこと」だということがわかります。

さらに、もう一度、「それは何のため？　さびれた感じがないと、どうしていいの？」と問いかけると、「さびれた感じがなければ、新しいことを始めたいという若い人たちがやってきたり、戻ってきたりするんじゃないかな。そうしたら、まちに賑わいが出てきて、希望が持てるようになる」という言葉が返ってくるかもしれません。「若い人たちがやってきて、賑わいがあって、希望の感じられるまち」が望んでいることなのかもしれない。こちらのほうがビジョンに近いでしょう。

このように、「最初に思いついたものは手段かも？」と思って、「それは何のため？」「それがそうなったら、何がどうなると思っているのか？」と考えていくことで、より高い次元の目的やビジョンを描き出していくことができます（ちなみに、私はこれを「鯉の滝登り方式」と呼んでいます！）。

他との比較や否定形でなく

ビジョンとは、他のまちがどうあろうと、「自分たちのまちはこういうまちでありたい」という理想の姿です。「どのまちよりも」とか「いちばんになる」といった比較形ではない形でビジョンを描きます。

また、特に現状の問題が念頭にあると、「〜ではない」と否定形の表現が出てきがちです。不思議なもので、否定形のビジョンは人々を惹きつける力が弱くなります。否定形に奮い立つ人はあまりいないのです。ですから、先ほどの例のように、最初に「空き家がないまち」という否定形でイメージが出てきたら、「その逆は、どういうイメージでしょう？ 肯定形で言い直すと？」と、肯定形で捉え直しましょう。肯定形のビジョンのほうが人々の力を引き出すことができます。

自分たちのまちらしいビジョンを考える

それぞれのまちには、そのまち独自の歴史や伝統、文化、自然、暮らしがあります。したがって、まちのありたい姿を考えるときに、金太郎飴のように「名前を入れ替えれば、どのまちでも通用するようなビジョン」ではなく、「これこそわがまちだ！」と思えるような側面を入れられたらいいなと思います。

そのためには、自分たちのまちの歴史や伝統などを振り返ったり、まちづくりに努力してきた先達たちの話を聞いたりといった作業も、ビジョンづくりのプロセスに組み込むことです。海士町でビジョンを作ったときには、町長や課長さんたち、まちの産業の立役者など、何人ものまちづくりの中心人物に来てもらって、苦労話や大事にしてきたことなどの話を聞く時間を設けました。

こうすることで、自分たちのまちのDNAを確認し、自分たちの歴史や文化、自然に支えられたビジョンを考えるきっかけにできます。ビジョンのすべてにわたって「わがまちらしく」と尖らせることは難しいですし、その必要もありませんが、まちの人たちが発表されたビジョンを見て、「うん、これはこのまちのことだ！」と思える部分をぜひ入れ込んでほしいと思います。

ここで、ビジョンを描くプロセスで考えておくべき大事なポイントを三つ挙げます。

①楽しいプロセスにする

みんなでしかめ面をして真面目に考え込んでいるだけでは、現在とは大きく違う望ましいまちの姿はなかなか浮かんでこないかもしれません。創造力と想像力を解放し、真面目で几帳面な人でも、「こうあるべき」というふだんの思考の枠組みを外してのびのびと考えてもらえることが大事です。そのためには、プロセスに工夫が必要です。

基本的には、「増えていてほしいもの」「減っていてほしいもの」「変わらずにあってほしいもの」を出し合いながら、ありたいまちの姿を考えていきますが、1回か2回やればビジョンができあがるというわけではありません。何回も、手を替え品を替え、様々なアプローチで考えていくことが重要ですし、楽しいプロセスになります。

例えば、「さあ、あなたは今、私たちが考えている理想的なありたいまちに住んでいます。今日一日のようすを日記にしてみましょう」というのも、想像が広がり、かつ具体的なイメージが浮かぶ面白いやり方です。演劇のセンスのある委員がいれば、先導してもらって、理想的なまちのようすや人々の暮らしを即興の劇にしてもらってもよいでしょう。

日記にしろ、即興劇にしろ、まちの子どもたち、若者、若い女性、働いている人たち、商店、事業者、子育て世代、高齢者に成り代わったり、また、「○○地区では」というように、様々な世代や地区、グループの人たちになったつもりで作ってみるとよいでしょう。

私がこれまで試してみた中で最も盛り上がったのは、「このまちの最悪シナリオを作ってみる！」というワークです。最善のシナリオであれば、それはビジョンそのものですが、逆に「最悪シナリオ」、つまり「絶対にこうなってほしくないまちの姿」を想像してもらうのです。怖いもの見たさ？なのでしょうか、不思議なことに、「最悪シナリオ」は非常に盛り上がり、様々なアイディアや側面が出てきます。それぞれのグループで作った「最悪シナリオ」をみんなの前で発表し合って、大笑いしながら「でもそうなったら困るよねー」と考え直します。そして、そこに出てくる言葉や側面から、ビジョンにつながる大事な要素をたくさん拾うことができました。

②今後のまちにとって大事な内外の情勢や重要な側面を学ぶ

「現状の延長線上にないビジョンを考える」と言っても、まったくの空白の世界で、まったく何の制約も受けずに、まちが存在できるわけではありません。そこで、内外の情勢や、今後に重要な影響を及ぼすと考えられる要因について、長期的な視点で見ておくことが必要です。そうすることで、目の前の現実に縛られることはないけれど、まったく幻想の世界のものではないビジョンを作ることができます。

私がまちのビジョンづくりをお手伝いするときには、これから特に大事だと考えている要因について、情報提供する時間をとるようにしています。例えば、気候変動に関わる今後の見通しやエネルギー情勢、子どもたちの教育や大人たちの働き方にも影響を及ぼすであろうＡＩ（人工知能）の展望などです。概要であっても、時代を形づくっていくいくつかの重要な趨勢（すうせい）について、押さえておくことが重要です。

海士町では、私の訪問に合わせて「エダヒロ塾」を開き、ビジョンづくりの委員会メンバーやまちの人たちと、情報提供しながら議論する機会を作ってくれました。ビジョン策定後も続いたエダヒロ塾では、「持続可能性とは」「ＡＩやＩｏＴ（モノのインターネット技術）の到来と影響について考える」「これからの地域経済について」「人口減少社会」「幸福度と海士町の〝ないものはない〟という価値観について」といったテーマで、私の情報提供をきっかけに、海士町にとっての意味合いを考えるディスカッションを繰り広げました。

下川町、南小国町、上勝町でのまちのビジョンづくりでは、ＳＤＧｓを枠組みの一つにして、まちのありたい姿を考えました。ＳＤＧｓとは、「持続可能な開発目標」のことで、２０１５年に国連が、２０３０年までに達成したい17分野の目標を定めたものです。貧困、健康、教育など、どんなまちにとっても重要な社会的な側面が含まれています。また、水資源や森林、温暖化など、重要な環境的な側面も入っています。消費と生産、雇用、産業、インフラなど、まちの経済的側面を考える上で重要な視点も入っています。

この17の目標に照らし合わせて自分たちのまちを考えることで、独りよがりではなく、世界標準の枠組みでまちづくりを考えることができます。17の目標のすべてを引きつけて考える必要はないかもしれませんが、チェックリストのつもりで、ＳＤＧｓの枠組みを使ってみることをお勧めします。

③委員会を超えて、まちの多くの人々の声を聞く

委員会のメンバーは性別や年代、地区、業種など、できるだけまちのいろいろなグループを代表する方々に集まってもらいます。しかし、委員会の人数は多くても二十数人ほどですから、まちの住民すべてをカバーすることは到底できません。

「みんなで」作る共有ビジョンを、限られた委員会メンバーだけで作ってよいのか？　まち

の住民全員に話し合いに加わってもらうことは現実的ではないけれど、できるだけまちの人たちの声を聞いてビジョンを作るにはどうしたらよいのか？

このような問題意識のもと、様々な試行錯誤をしつつ、ビジョンを作るプロセスをできるだけ透明にして、委員以外の人たちの声にも耳を傾けるようにしています。委員でなくてもだれでも委員会にオブザーバーとして参加してもらえるようにしたり、時間的に参加が難しいグループの人たちには、別途〝出前方式〟で意見を聞きに行ったり、委員会での議論の内容をできるだけ広くまちの人たちに伝えたりします。

そして、委員のみなさんに「できるだけたくさんのまちの人々の声を集めてきてください」とお願いします。ここでも、理想的なまちになったら「増えていてほしいもの」「減っていてほしいもの」「変わらずにあってほしいもの」を聞いてきてもらいます。この三つの質問なら、子どもでも、高齢者でも、考えやすいからです。

人口４３００人ほどの南小国町では、委員が手分けして頑張り、５５０人ものまちの人たちの声を集めました。町民の８人に１人に聞いたことになります！　人口１５００人ほどの上勝町でも、「だれがここに聞きに行く？」と話し合って分担を決めて、最終的に、なんと４７５人の町民の思いと考えを持ち寄りました。

アイディアをグループ分けしてビジョンのたたき台を作る

このような様々な工夫をしながら集めた「増えていてほしいもの」「減っていてほしいもの」「変わらずにあってほしいもの」を、グループ分けしていきます。たくさんの人々から集まった山のような付箋をすべてビジョンに反映することは不可能です。

南小国町では、重複するものは一つとして数えても、４４０もの「増えていてほしいもの」「減っていてほしいもの」「変わらずにあってほしいもの」が集まりました。同じものを何人が挙げたかを数えて、それぞれの付箋に書き込みます。そして、「30人以上」から出ている意見は、できる限りビジョンに反映し、「10人以上29人以下」からの意見の中から「これは大事だ！」と思うものを付け加えることとしました。

そして最後に、「2人以上9人以下」または「1人」から出た意見にもう一度目を通し、「これは！」と思うキラリと光るものや、「南小国町らしさ」の感じられるキーワードがあれば、ビジョン案に盛り込むことにしました。

付箋の分類分けは、「ここは教育や子どもに関わることだね」「このグループは、まちの産業に関するものだね」とテーマごとに分けることもできますし、「子どもたち」「若者」「勤労世代」「高齢者」など、対象グループごとに分類することもできるでしょう。また、ＳＤＧｓの枠組みで整理してみるのも一つです。

そのように何通りかのグループ分けをしてみる中で、委員会として「腑に落ちる」グループ分けができてきます。そうしたら、それぞれの領域ごとにチームを作って、たくさんの付箋を並べ直しながら、ああでもない、こうでもない、と話し合いながら、ビジョンの文章のたたき台を作っていきます。

委員会の時間内にすべて整理することは難しいので、たいていは事務局が各チームの作ったビジョンのたたき台を整理し、トーンを調整し、ビジョン案を作ります。そして、その後何回かの委員会で、ビジョン案を揉み、練り上げていきます。最終的には、パブリックコメントという形で、まちの住民に広く意見を求め、必要な再調整をして、ビジョン完成！です。

第3章　まちづくりのステップ

1　システム思考で構造を見える化する

見えているのは「氷山の一角」

私のまちづくりのお手伝いの特徴は、「バックキャスティング」に加えて、「システム思考」を用いることです。私は20年ほど前に、米国でシステム思考に出会い、「これはなんとしても日本に紹介し、広げなくては！」と思いました。日本でシステム思考を教え、伝えていきたいと、仲間と共に２００５年に「チェンジ・エージェント」という会社を立ち上げて、企業向けの研修を行ってきました。加えて、２０１８年から大学院大学至善館の社会人向けＭＢＡコースで「システム思考と持続可能性への挑戦」を教えるほか、自治体などでもシステム思考の研修を行っています。「システム思考は本当に役に立つ！」ことを実感しているからです。

「システム思考」とは、「物事は様々な要素がつながってできている」という考え方です。世の中には私たちの目に見えるものもあれば、見えないものもあります。見えているところだけを見て、「これが問題だ」「だからこうすればよい」と対策を打っても、実はうまくいきません。なぜなら、見えているのは「氷山の一角」であって、その下には、表面からは見えない様々な要素のつながりが構造を作っているからです。その構造を理解せずに、目の前だけを見て対症療法を行っても、「一生懸命やっても、状況が変わらないなあ」、ときには「別の問題が生じてしまった！」ということになってしまいます。

様々な要素がつながっている全体のことを「システム」と呼びます。個別の要素ではなく、状況をシステムとして捉えようというアプローチが「システム思考」です。システム思考は、1930年代に米国のMIT（マサチューセッツ工科大学）で生み出された思考法で、国際機関や企業、NGO等で広く用いられています。つながりをたどって関係性の構造を広く捉えることによって、対症療法ではなく、本質的で効果的な解決策を、副作用を予期・軽減しながら考えることができるアプローチとして活用されています。

まちづくりにおいても、往々にして、「これが問題だから、こうすればよい」と、問題の症状だけを見て対症療法を打つような取り組みをすることがあります。このような直線的な思考法では、別の問題が出てきたり、やってもいっこうに効果が上がらず、関係者の間に疲弊感をもたらしたりすることになります。「だれが悪い」という責め合いになったりする残念な場合もあります。

まちづくりを進めていくとき、だれにも悪気はないのに、だれもが「真摯に問題を解決しよう！」と思っているのに、それでもうまくいかない場合が少なからずあります。そうなったときでも、「だれかの意図や根性や人格を非難するのではなく、思考法を変えればうまくいく！」と思うのです。つまり、うまくいっていない「現状」はどういう構造になっているのか、「ありたいまちの姿」を実現するためには、その構造をどう変えていく必要があるのか？を考えていけばよいのです。

システム思考は難しくありません。専門家でなくても、だれでも使うことができます（というより、私たちはそれとは意識せずに、つながりをたどって本当の問題を考えようとするなど、システム思考をしていることもよくあります。「因果応報」「風が吹けば桶屋が儲かる」などもシステム思考的な考え方です）。まちづくりでどのようにシステム思考を用いることができるか、進め方とコツを説明していきましょう。

① 「このままいくとどうなるか？」「どうしたいか？」のパターンを描いてみる
② 「このままパターン」がどうして生まれているのか、その構造を要素のつながりで考える
③ 「理想パターン」に変えていくために、構造のどの要素やつながりを変えればよいかを考える

という流れになります。このプロセスは、ある程度ビジョンが形になってから進める場合もありますし、ビジョンを作りながら、ビジョンをクリアにしていくために、同時並行的に進める場合もあります。

「このままパターン」と「ありたいパターン」を描く

では、最初の「パターンを描く」ところを説明しましょう。

まず考えるのは、「このままいくとどうなるか?」です。ビジョンの議論で出ている「まちにとって大事なこと」を一つでも二つでも、みんなに選んでもらいましょう。例えば、「まちの人と人とのつながり」が出てきたとしましょう。

その「大事なこと」を縦軸に、横軸に時間を置いたグラフを作ってみます。横軸のだいたい真ん中あたりに「現在」と書きます。その左側が「過去」、右側が「今後」となります。何年ぐらい遡り、何年ぐらい先まで考えるかは、考える対象によって変わってきます。まちづくりであれば、例えば10年ぐらいをめどに考えてみるとよいと思いますが、5年でも20年でも、自分たちの考えやすい時間軸を使ってください。

そして、「人と人とのつながり、うちのまちでは、これまでどうだったのだろう?」と、み

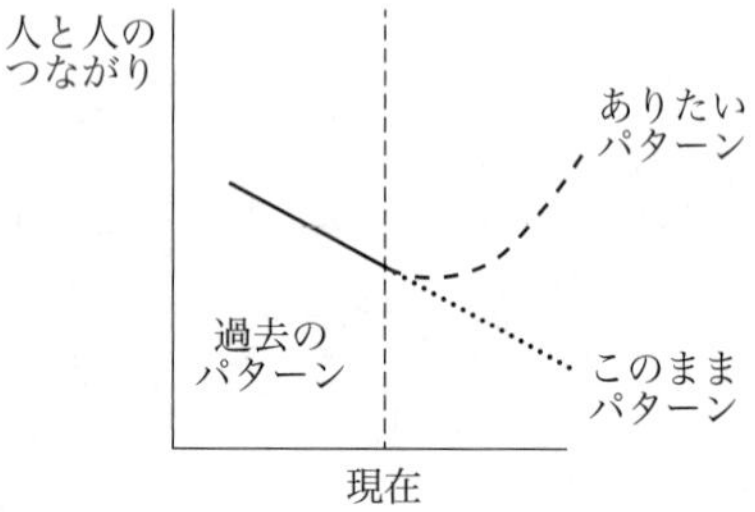

図6　時系列変化パターングラフの例

んなでイメージを出し合います。「人と人とのつながりは、ずっと強かったけれど、この何年か弱くなっている気がする」「昔はもっとお互いに助け合ったり、おすそ分けをしていたよね」「それでも、今だって、隣近所の人に会ったら、挨拶したり、立ち話しているよね」といった話が出てくるかもしれません。

ここでのポイントは「パターン」として考える、ということです。細かいデコボコや変動は気にせず、「大きく見たとき、どういうパターンだろうか？」と考えます。みんなのイメージが、「昔はつながりが強かった。今も問題視するほど弱いわけではないけれど、しかし、少しずつつながりが弱くなっているようだ」ということであれば、図6のグラフのように、左側に「少しずつ下がってきている」という線を入れます。

その後、「今後は、どうなるか」を考えます。「過去」は1種類ですが、「未来」については2通り考えることがポイントです。はじめに、「このままパターン」を考えてみます。「何も手を打たずにいるとしたら、どうなりそうか？」です。「このままいくと、交わされる挨拶もだんだん減っていって、ますます人と人とのつながりが弱くなるんじゃないかな」というイメージであれば、グラフの右側の点線のように、「だんだん下がっていく」というパターンを描き入れます。

そして、最後に、「ありたいパターン」を考えてみます。「ここしばらく、少しずつ下がってきているけれど、これからまちづくりの取り組みを進めていく中で、人々のつながりが前みたいに強くなったらいいね」というイメージをみんなが共有しているなら、グラフの右側の破線のように、「ありたいパターン」を入れます。

ビジョンづくりの中で出てきたどの要素を取り出してもかまいません。いくつかの要素を取り出して、グループごとに過去と未来のパターンを作ってもらい、お互いにテーブルツアーで共有することもあります。こうすることで、まちの様々な側面の変化を確認することができます。「要素は違っても、同じようなパターンだねえ！」ということもよくあります。

このように、まちづくりにとって大事だと思う要素をいくつか取り出して、過去のパターンと未来のパターンを2種類――「このままパターン」と「ありたいパターン」――描きます。これが「時系列変化パターングラフ」と呼ばれている、システム思考の基本的なツールの一つです。

時系列変化パターングラフを描く目的は、「単発の出来事ではなく、時系列のパターンを見る」ことです。それによって、目の前の〝問題〟に飛びつくことなく、「まちの様々な側面を合わせて見たとき、どういう共通パターンがあるのだろう?」ということを意識化し、共有することができます。そこから、「なぜ今までのパターンが起きているのか」「どうすれば、望ましいパターンを創り出せるのか」を考えることへつながっていくのです。

また、まちづくりに関わっている様々な人々が一緒に、まちの「大事なもの」の時系列変化パターングラフを描くことから、過去や現状の共有認識や目標のすり合わせができます。そして、「今は、この2本の未来へ向かう線の分岐点に立っているんだよね」という意識から、「このままパターンは避けたい! なんとしてでもありたいパターンにもっていきたい!」という思いが強くなり、「変化への原動力」が生まれます。

2　ループ図の作り方

「構造」が生み出すパターン

私たちが直面する問題には、もちろん、「たまたまこうなってしまった」という単発の問題もあります。しかし、「いつもこうなってしまう……」というような問題の「パターン」があるとしたら、その背後には「構造」があります。パターンを生み出すのは構造なのです。

砂場で水路を作って遊んでいるとしましょう。砂場の入り口から奥に向けて掘るのか、分岐を作るのかなど、いろいろな水路の可能性がありますが、いったん水路を作れば、水は必ず水路のとおりに流れるようになります。これが「構造」ということです。構造が変わらない限り、水の量が多くても少なくても、どんな色の水を流そうと、同じパターンになります（そして、流した水がどんどん砂に吸い取られて、最後にはなくなってしまうというのも、砂場という「構造」が生み出すパターンなのです！）。

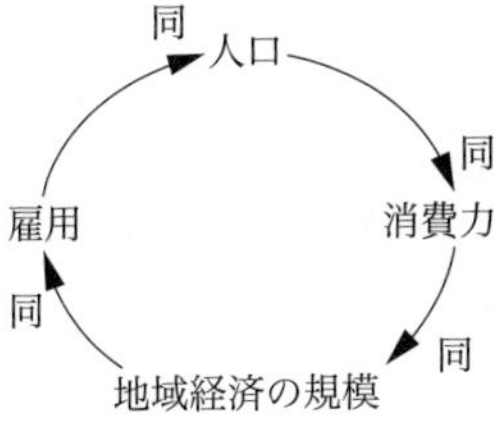

同じように、人と人とのつながりが弱まってきているという「パターン」があるとしたら、そこには何らかの構造的な背景があると考えます。タイミングや出来事によって、増減の変動はあっても、パターンとしては「じょじょに弱まっている」のだとしたら、それは「だれかが悪い」「何かのせい」だという一次的な原因ではなく、構造のせいなのです。

第1章で、一例として、まちのある側面の「構造」を図7のように

人口 →(同) 消費力 →(同) 地域経済の規模 →(同) 雇用 →(同) 人口

図7　まちの構造の一例

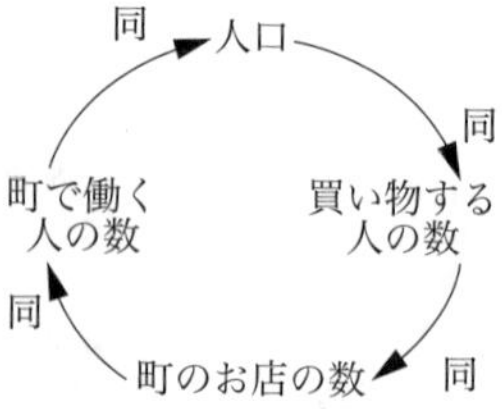

示しました。

矢印の頭のところに「同」と書いてありますが、これは、矢の根元から矢先へ、「同じ方向に変化を伝える」という印です。人口が「増え」れば、消費力も「増え」る、という具合に読みます。逆に、人口が「減れ」ば、消費力も「減る」ということです。増えるか減るかは関係なく、「Aが増えれば(または減れば)、Bも増える(または減る)」というように、AとBが「同じ方向に変化する」ことを示しています。「Aが増えれば(または減れば)、Bは減る(または増える)」というように、AとBが「逆の方向に変化する」場合は、「逆」と印をつけます。二つの要素のつながりはこの2種類しかありません。「同じ方向に変化するか、逆の方向に変化するか」です。

また、同じ状況を図8のように示すこともできます。

人口
同
買い物する人の数
同
町のお店の数
同
町で働く人の数
同

図8　図7と同じ構造を示す例

最初はこのように、より具体的な言葉で描くことが多いかもしれません。そして、考えているうちに、「買い物する人の数が増えて、増えるのはお店だけじゃなくて、お店に原材料を卸している会社や、配送やエネルギーなど、他の事業者もやっていけるようになるよね？」という話になって、「じゃあ、いろいろなお店や事業者を含めて考えられるように、もうちょっと抽象的な言葉を使おうか」となって、「地域経済の規模」という言葉を使うかもしれません。

　このように、具体的か抽象的かなど、要素を表す言葉の表現はいろいろ考えられます。唯一無二の正解があるわけではないので、自分たちの腑に落ちる言葉を探したり、必要があれば変更していくとよいと思います。

　ただ一つだけ、ルールがあります。ループ図に入れる要素は「名詞形」で書く、ということです。「ええと、人口が増えれば、買い物をする人が増えて……」と考えていると、「人口が増える」「買い物客が増える」など、動詞にしたくなるのですが、「人口」「買い物客」と必ず、名詞形にします。そうしないと、例えば、これが悪循環になったときなど、「〝人口〟が減る」ならわかりやすいですが、「〝人口が増える〟が減る？？？」と混乱してしまうからです。「要素は名詞形」とだけ覚えておき、あとは要素をどんどん出してつないでいきましょう。

　例えば、このまちの人口と地元経済のループ図を見て、「たとえ人口が増えて、消費力が増えたとしても、町の外のお店やネット通販で買い物をする人が増えると、まちのお店がやっていけることにはつながらないよね」という話が出るかもしれません。そうしたら、その新しい要素をループ図に入れます。

　図９のように追加すれば、「消費力の増加」は、「域外での消費」も増やすだろう、そして、

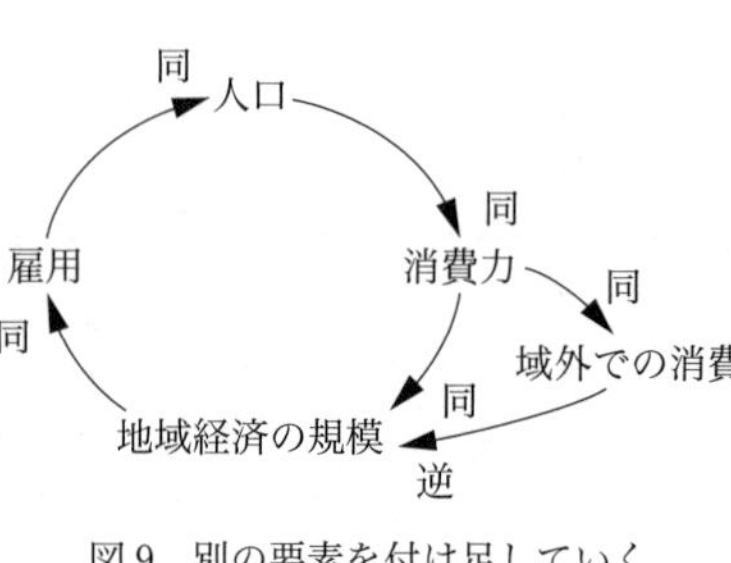

図９　別の要素を付け足していく

「域外での消費」が増えれば増えるほど、「地域経済の規模」にとってはマイナスになる（だから「逆」というつながりが入っています）というつながりも表せます。

実際、地元経済を考える上では、現在の地元の消費力のうち、どのくらいが地元経済に費やされているのか、どのくらいが域外に出ていってしまっているかが非常に重要なポイントになってきます。域外での消費が多ければ、地元経済から考えれば、それは穴のいっぱい空いたバケツのようなもので、いくらまちの消費力を上げても、地元には富は残らない、ということになってしまいます。

ちなみに、『地元経済を創りなおす』（岩波新書）は、ループ図上のこの鍵を握るポイントに焦点を当て、「現在、どのくらいが域外に漏れ出ているのか」「その内訳はどうなっているのか」を見える化し、「どうやったら、その漏れをふさいで、少しでも地元に残るお金、地元で循環するお金を増やせるか」を考え、実行していくための考え方やツール、先進事例を紹介するために書いたものです。

ストーリーから描く（ループ図の作り方　その1）

では、どのようにループ図を描いていけばよいでしょうか？　二つの方法を紹介しましょう。一つは「ストーリーから描く」やり方、もう一つは、「大事なもの、変えたいものを中心に置いて広げていく」方法です。

ループ図は因果関係のある要素を図示するものですが、私たちはふだんから意識せずに因果関係をストーリーとして話していることがよくあります。例えば、ある観光業を地域経済の中核とするまちでビジョンを作る話し合いをしていたときのこと、あるグループとこんな話をしました。

「最近、農家さんの元気がなくなってて、心配なんだよね」

「そうだね、農業の元気がなくなると、手入れされない耕作放棄地が増えちゃうよね」

「すると、どうなるんですか？」と私。

「耕作放棄地が増えると、里の風景が台無しになる。これまでまちの人たちが大事に守ってきた原風景がだめになっちゃう」

「そうすると？」と私。

「そうすると、観光客が減っちゃうんじゃない？」

「どうしてですか？」と私。

「このまちには、何かすごい観光資源があるわけじゃないんです。でも、「この風景いいねえ、落ち着けるねえ、古き良き日本を思い出すねえ」って、繰り返し来てくれる人たちがいっぱいいる。わがまちの観光資源は、緑の山を背景に、手入れのされた田んぼや畑が広がる風景じゃないかと思うんです。だから、来てみたら、耕作放棄地が広がっている、というまちになっちゃったら、観光客も減ってしまう」

「そうすると、観光業の売上も減っちゃうね」

「そうすると？」

「すると、まちの財政が悪化しちゃいます。まちの財政の大きな部分を観光業が支えていますからね。ホテルや民宿、飲食業者だけではなく、そういうところをお客さんとして商売している事業者も厳しくなるでしょう」

「まちの財政が悪化すると、農業にも影響が出ますか？」

「おおありです。まちの財政が悪化して健全でなくなったら、農業支援に回せるお金が減るでしょう。ますます農業がしづらくなり、離農者が増え、農業の元気がなくなっていくかもしれません」

この話を順を追ってまとめると、「農業の元気がなくなると、耕作放棄地が増える。すると、守ってきた原風景がだめになってしまう。そうすると、それを求めてくる観光客が減ってしまい、観光業の収入が減る。すると、まちの財政が悪化してしまう。そうすると、農業支援に回せるお金が減る」となります。

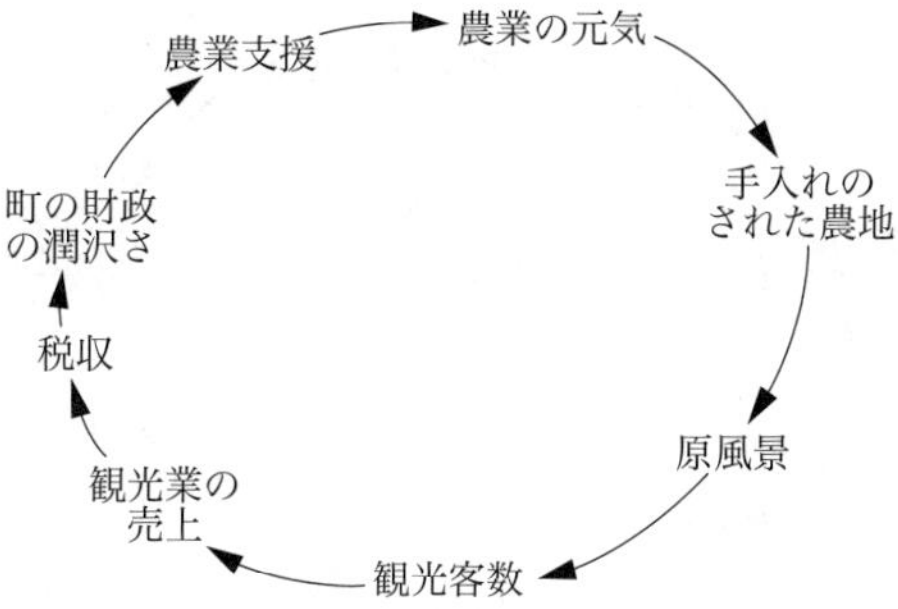

次に、このストーリーの中で、増えたり減ったりするもの、つまり「変数」に印をつけます。次の文章の「変数」に線を引いてみましょう。

「農業の元気がなくなると、手入れのされた農地が減る。すると、守ってきた原風景がだめになってしまう。そうすると、それを求めてくる観光客が減ってしまい、観光業の収入が減る。すると、まちの財政の健全度が損なわれてしまう。そうすると、農業支援に回せるお金が減る」

こうやってストーリーに含まれている変数を出し、因果関係でつないでいきます。原因の変数から、その結果の変数へ、矢印でつないでいくのです。「ここのつながり、ちょっと飛

農業の元気
手入れの
された農地
原風景
観光客数
観光業の
売上
税収
町の財政
の潤沢さ
農業支援

図 10　あるまちの構造の一例

躍しているよね」というときには、間に入る変数を考えます。そうして、必要があれば、要素を足していきます。例えば、図10では、「観光業の売上」から、直接「町の財政の潤沢さ」につなげるのではなく、「それって法人税が減るからだよね」ということで、「税収」という変数を加えています。

こうして作ったループ図をみんなで見ていると、「ここにもこういう要素があるんじゃない?」「ここに影響を与えるのは、他にもあるよね?」というように、話が広がっていきます。みんなの視野が広がっていくのです。

例えば、「農業が元気になれば、原風景が守れるだけじゃなくて、農家の収入も増えるから、その分、法人税も増えるよね!」とか、「観光客の数に影響を与えるのは、原風景だけじゃなくて、宿やまちのおもてなしの度合もあるよね」という話が出てくれば、どんどん変数や矢印を足していきます(図11)。

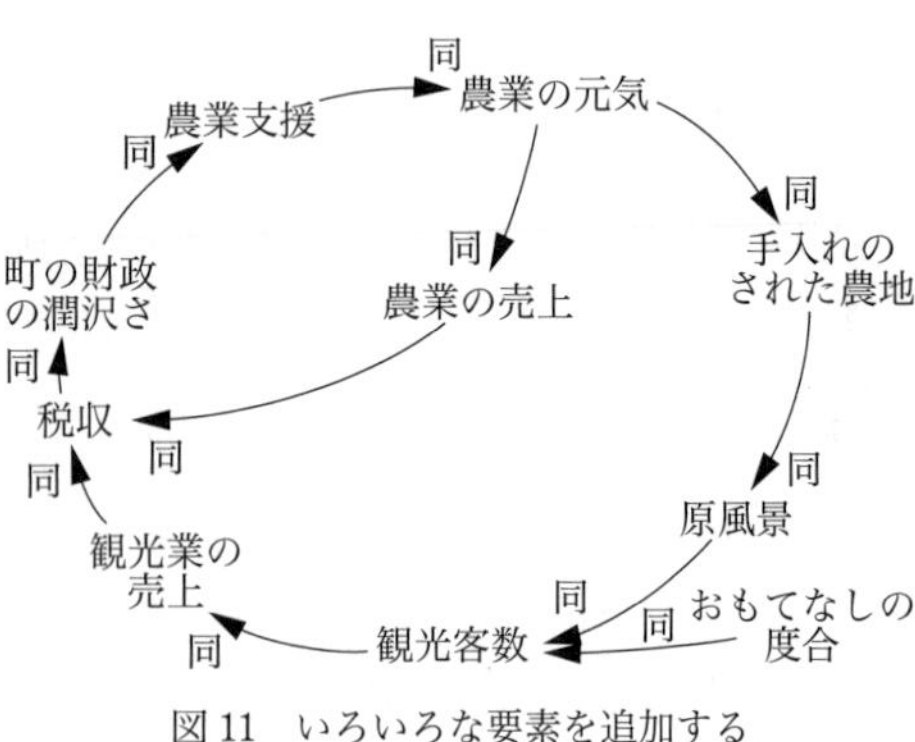

図 11　いろいろな要素を追加する

このようにして、まちのいろいろな側面のストーリーからループ図を描いていくことができます。慣れるまでは、ストーリーを文章にして、その文章から「変数」を抜き出して、つないでいくとよいでしょう。慣れてくると、ストーリーを話しながら、描けるようになります。そのとき、先ほどの例で私がそういう役割を果たしたように、「そうすると次にはどうなるの？」「それはどういうつながりがあるからなの？」と、自分たちで合いの手を入れていくと、飛躍の少ないループ図ができてきます。

大事なもの、変えたいものを中心に置いて広げていく(ループ図の作り方　その2)

もう一つのやり方は、まちの中で「増やしたい(または、減らしたい)大事なもの」を考え、それを中心に置いて、つながりを広げていくという方法です。

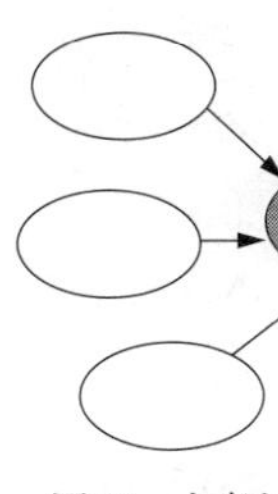

図12　大事なものに影響を与える要素を出す

下川町では、「まちの人たちのチャレンジ精神」がこのまちにとって、とても重要だ、という話になりました。これまでこのまちを作り支えてきた、チャレンジ精神がなくなってしまったら、下川町はだめになる、とまちづくりの委員会に参加しているみん

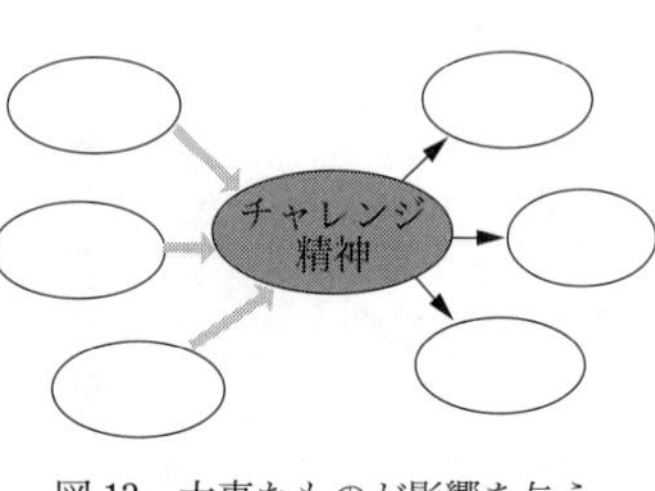

図 13　大事なものが影響を与える要素を出す

なが口をそろえて言うのです。

「じゃあ、それを真ん中に置きましょう。そして、その「チャレンジ精神」に影響を与えるものを考えてください。つまり、何があれば、チャレンジ精神が増えたり維持されますか？　チャレンジ精神を減らしてしまったり損なってしまうものは何ですか？」（図12）

「それ（この場合は「チャレンジ精神」）に影響を与えるもの」とあわせて、「それが影響を与えるもの」も考えていきます。「チャレンジ精神が旺盛になると、何がどうなりますか？」「チャレンジ精神がへこんでしまうと、何に影響が出ますか？」と考えていくのです（図13）。

「では、それを増やしたり減らしたりするものは何だろう？」「それが増えると、何が増えたり減ったりするだろう？」と、「大事なもの」を中心に、上流、下流の両方につながりを広げていきます（図14）。

そうしてどんどんつなげていくと、どこかで「ループ」になるかもしれません。でも、「ループ図」という名前で呼んでいますが、ループにならなくてもよいのです。様々な要素がどうつながっているのか、その構造を見える化していくことで、さらに広く、深く考えていくのが目的です。

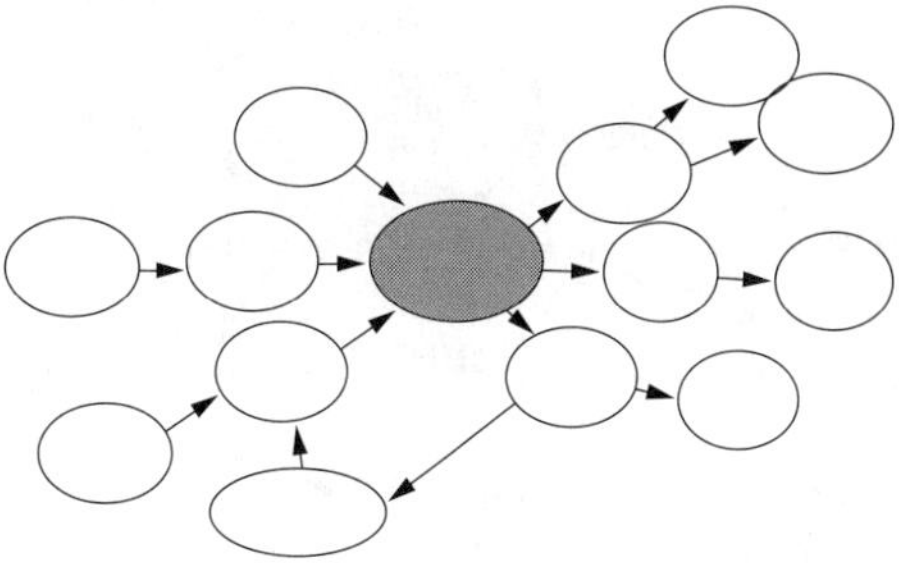

このように、まちの現在までのパターンを創り出している構造を考えていきます。同時に、「今はそうなっていないけど、ここここがつながると好循環が生まれるんじゃないかな」といった、ありたいパターンを創り出す構造についても議論が始まるでしょう。ループ図は「現在の構造」を示すためにも、「ありたい構造」を示すためにも、役に立ちます。

図14　どんどん広げていく

ループ図が役に立つのは、目の前だけを見ているのではなく、広く深く、まちの状況を考えられるようになるからです。そうすることで、「問題」だと思っていた目の前のものが、実は問題の症状にすぎなかった、ということがわかるかもしれません。これまで一生懸命考えてきた範囲を超えて、広く考えることで、まったく異なる対策が有効であることがわかるかもしれません。

例えば、図15は、ある途上国の都市での「交通渋滞」の問題

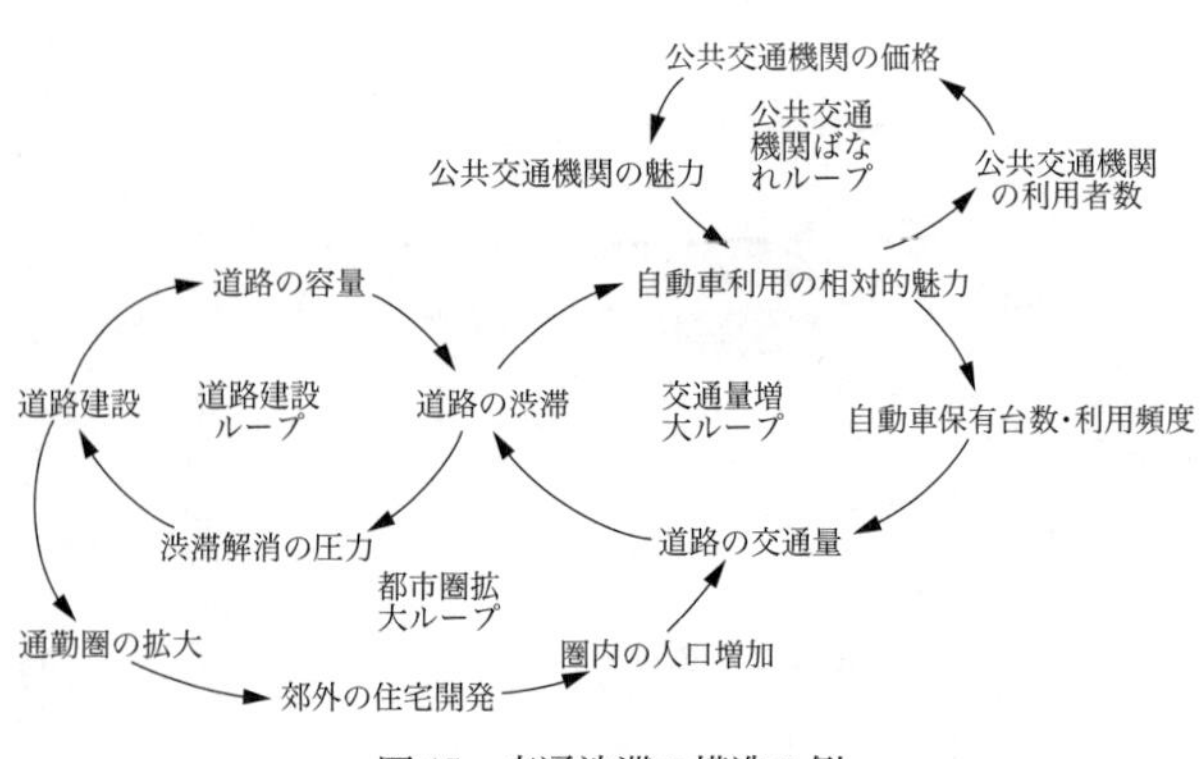

図15　交通渋滞の構造の例

を考えたときのものです。目の前の渋滞をなんとかしたい！と車線数を増やしたり、バイパスを通したりして、道路の容量を増やそうとしても、一瞬解消したように見えた渋滞がまた戻ってきて、悪化してしまう、という現象がよく見られます。「道路の渋滞」という「変えたいもの」を真ん中に置いて、いろいろな要素がどうつながっているかを、立場の違う関係者の方々に話を聞きながら、ループ図にしてみました。

このように構造を広く考えてみると、「道路の拡張」以外にも、いろいろな施策が考えられるようになります（図16）。自動車を使うかどうかは、公共交通機関とどちらが魅力的かによっても影響を受けます。そのため、公共交通機関の魅力を上げるために、クリチバ市のレーナー市長がそうしたように、物理的にバスレーンを区切って、高速でバスが運行できるようにする、というのも一

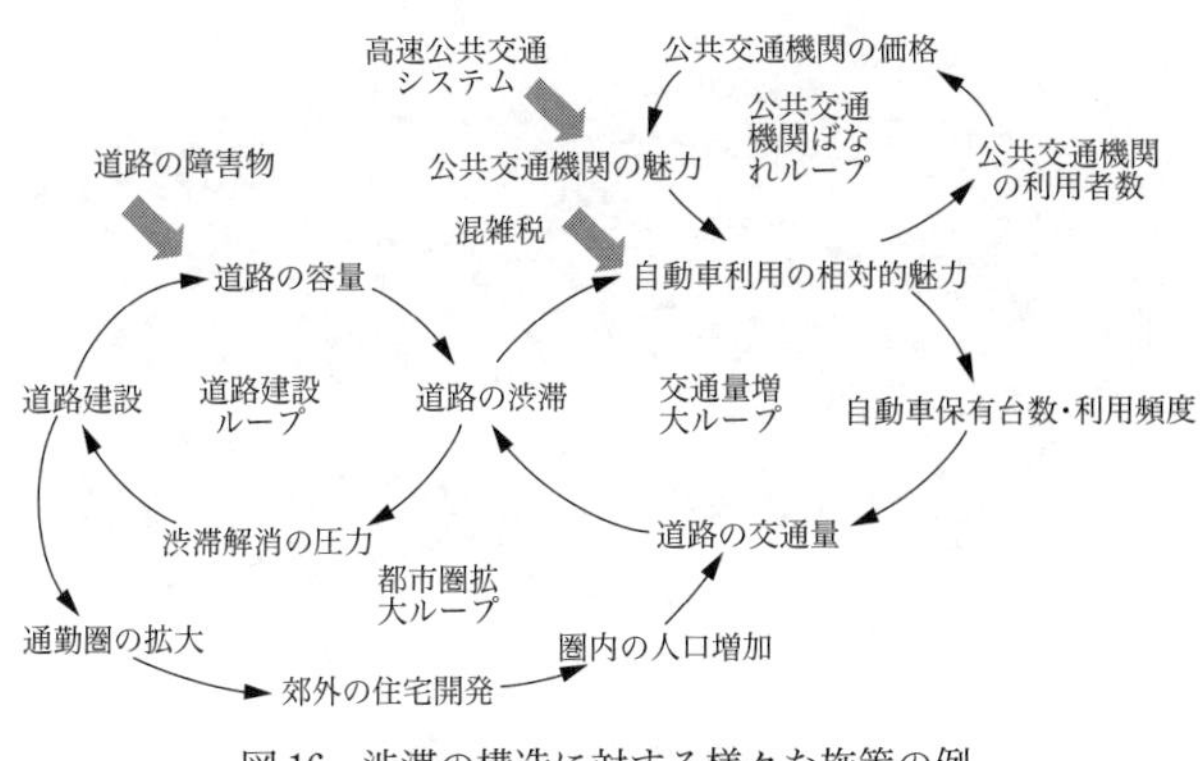

図 16　渋滞の構造に対する様々な施策の例

つの対策となります。また、自動車利用の相対的な魅力を減らすために、シンガポールなどで導入されているような「混雑税」を設けることも一案でしょう。ラッシュアワーに都市部に入る自動車に課税することで、「車よりバスで行こう」という人が増えるでしょう。

ループ図はつねに「仕掛かり品」

最後にループ図を作るときの注意点を挙げておきましょう。

ループ図には、絶対的な正解はありません。どれだけ詳しく描こうと、すべてをループ図に含めることはできません。ループ図はあくまでも現実やありたい姿を簡略化して示すモデルにすぎません。なので、「どのループ図が正しいか」「現実を正確に示すループ図を描くにはどうしたらよいか」を考えるよりも、「ループ図は、そ

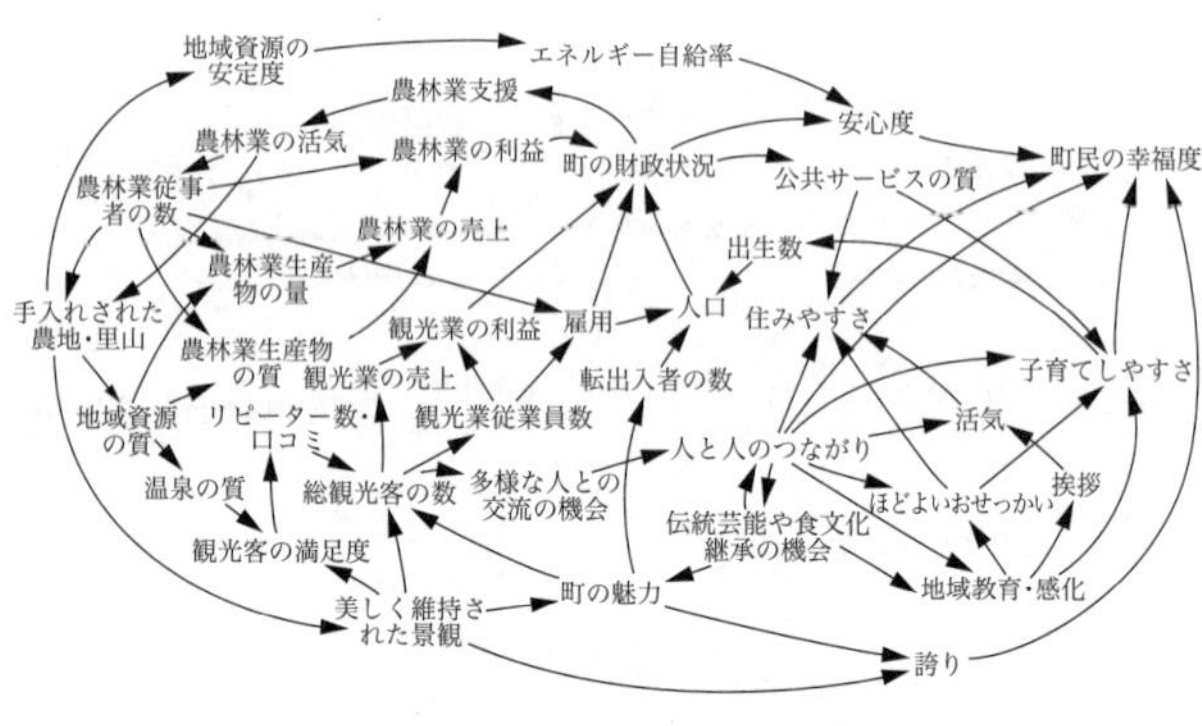

図 17　南小国町の「ありたい姿」の構造

の時点でのその人たちの理解や認識を表すもの」だと思ってください。

ループ図はつねに「仕掛かり品」です。「正しい」ループ図ではなく、「役に立つ」ループ図を描くことを目指します。そのループ図を作ることで、自分たちの現実やありたい姿についての理解が深まったり、これまでの枠を超えて、広く考えることができるようになったりすれば、「役に立つ」ループ図と言えるでしょう。

また、まちの様々な人たちと、ループ図を示しながら、「これは完成形ではありませんが、自分たちは現状をこのように理解しています。みなさんから見てどうでしょう？　足りないところはどこですか？」と、共通理解のためのコミュニケーションのツールとして使うことも有効です。

こうして、ループ図を作ることで、まちづくりに関わる個々の要素をつなぐことができるようになります。先ほどの例で、「農業」と「観光」が実は深くつながっている、ということがみんなに理解できれば、産業別に対策や担当部門を分けて取り組むよりも、力を合わせて、どのように好循環を一緒に作っていけるかを考えることができるようになります。

図17に、南小国町のビジョンづくりのプロセスで、まちのみなさんと作った「ありたい姿」を創り出す構造のループ図を参考までに示します。「南小国町らしさ」が出ているループ図になっています。

「氷山の一角」ではなく、できるだけ「氷山の全体」を捉えることで、対症療法ではない、根本的な解決策を考えようというシステム思考の考え方や、時系列変化パターングラフやループ図といったシステム思考の基本ツールの詳しい説明にご興味のある方は、システム思考の入門書『なぜあの人の解決策はいつもうまくいくのか？』などを参考にしてください。

第4章　まちづくりのジャンプ

1　構造を変えるためのプロジェクトとは？

「あとは行政のほうでよろしく」ではなく

どんなすばらしいビジョンを作っても、どんなに広く深くまちの構造を分析しても、行動しないことには、何も変わりません。ビジョンもシステム思考によるまちの構造分析も、本質的で効果的な施策やプロジェクトを創り出すことができてはじめて、役に立つのです。

ビジョンとループ図を作る段階を経て、プロジェクトを考え、実行していく段階に入っていきます。すぐに考えが浮かんで、取りかかれるものもありますが、ビジョンとループ図をベースに、プロジェクトや対策を考えるためには、さらに調査や議論が必要なことも出てきます。

まちのビジョンを作るプロセスや体制が行政の中にきちんと位置づけられていれば、住民や役場職員の委員・有志が作り上げたビジョンを実現するための施策は、総合計画や総合戦略などの中に位置づけられ、行政が責任を持って進めていくものとなります。また、ビジョン策定に関わった委員や有志も、「ビジョンを作ったから、あとは行政のほうでよろしく」ではなく、そのビジョンに向けて「自分は何をやっていくか」を考え、宣言し、進めていくことが、まちづくりの大きな推進力となります。

海士町では、「明日の海士をつくる会」、略称「あすあま」という委員会が、ありたいまちの姿とループ図による分析に基づき、「あすあまチャレンジプラン」を作り、町長に手渡ししました。町役場は、それをもとに、「海士町創生総合戦略」を策定し、この総合戦略に従って様々な取り組みを進めています。もちろんすべてをいっぺんに進めることはできませんが、使える予算や人材等のリソースを考えつつ、優先順位を考えながら、順次進めることになります。

このようなまちづくりの取り組みは短期で終わりになるわけではないため、〝全体の設計図〟として、ビジョンとループ図による分析に基づくチャレンジプランがあることが役に立ちます。何か予期せぬことが起こっても、思うとおりに進まないことがあっても、みんなで立ち戻れる「土台」となるからです。

このように、行政として進めるべきことを総合計画や総合戦略に入れて進めるだけではありません。海士町では、あすあまのメンバーが「あすあまチャレンジプラン」を町長に手渡しするとき、一人一人が「このビジョンに向けて自分は何をやるか」を宣言しました。町長への手交式をもって、あすあま委員の委嘱期間は終わりましたが、その後も、あすあまメンバーたちは折に触れて集まり、自分のプロジェクトの進捗状況を報告したり、お互いに相談をしたりしています。

私も海士町を訪問したときに、そのような集まりに参加させてもらいました。みんなで苦労して作ったループ図を真ん中に置いて車座になって座り、「これまで自分たちの取り組みは、この構造のどこを、どのくらい変えてきたのだろうか」「取り組む中で新たにわかってきた構造は何か」「今後どのようなことを進める必要があるか」など、メンバーが熱心に話し合っていた様子が印象的でした。

漁協職員でもあるメンバーは、ループ図上の「海士に眠る地域資源の活用」に働きかけをすべく、漁業でこれまで使われてこなかった資源の活用を進めています。定置網にかかる魚のうち、小ぶりだったりして市場に出せない「はねもの」も食べよう！と新しい加工プロジェクトに取り組んでいます。小さなアジを一口サイズの干物に加工したり、海士町の玄関口であるフェリー乗り場に併設されたレストランで、小ぶりなアジフライを提供してもらったり、他のこれまで活用されていなかった海産物もアヒージョなどの缶詰にするなど、様々な取り組みを進め、商品化も進んでいます。

観光協会の職員だったメンバーは、その後、まちの第三セクターのホテル「マリンポートホテル海士」の社長になりました。以前は、食材の地産地消率がそれほど高くなかったのですが、ループ図の「島内調達率」のところへの働きかけをしよう！ とホテルの料理人と地元の農家、漁師さんたちと話し合いを続け、少しずつホテルでの地産地消率を上げています。現在大改装中ですが、２０２１年の新規オープン後には、「できる限り、新鮮な島の食材をおいしく楽しんでもらえる食事」も魅力の一つとなります。まちの魅力を高めつつ、島内調達率も大きく引き上げることができます。

ある女性メンバーは、ループ図上の「生涯現役の高齢者」というポイントへの働きかけとして、「みんなが集まって楽しめる場を作りたい」と地元のおいしい天然水を利用した「天水カフェ」を開催しました。地元のおばあちゃんたちの作ったおいしい食べ物をみんなでいただく機会に、おばあちゃんたちも張り切って楽しんだと聞いています。他にも、「昔のようにみかんをもう一度育てて食べよう」という集落の取り組みや、ぶどう栽培家を支援して、海士町ワインを作ろう！ というプロジェクトもあります。このように、行政だけではなく、まちの人々が主体的に動く取り組みも海士町ではたくさん進んでいます。そして、そういう動きそのものが、海士町の魅力を創り出しています。

具体的なプロジェクトのまえに、「どこに働きかけるか？」を考える

ループ図を見ながら構造に働きかける場所を考えるとき、「矢印がたくさん集まっているところ」に注目するのがコツの一つです。矢印がたくさん出ている、または、矢印がたくさん入ってきている要素は、言ってみれば構造の「ハブ」「要（かなめ）」のようなものです。そこを変えることができれば、構造上のいろいろなところへ波及効果を生み出すことができます。逆に、他の要素とあまりつながっていない要素をいくら一生懸命変えたとしても、波及効果は生み出しにくいと考えられます。

まちづくりには、「やったほうがよいこと」「やらなければならないこと」がたくさんあります。でも、使えるお金も動ける人も限られているわけですから、優先順位の付け方が鍵を握ります。ループ図を眺めながら、「ここはキーポイントだね」「ここを変えると、こんなにいろいろなところに影響を及ぼせるね」というように、構造から働きかける場所を考えてみてください。働きかける要素やつながりを決めてから、「どうすれば、その要素やつながりを変えられるか？」を考え、具体的なプロジェクトを考えることになります。

他の地域の良い取り組み事例を見るときにも、「どういう構造をどのように変える取り組みだったのか？」という構造を見る視点を持つと、地域を超えて役に立つヒントやコツが得られ

るでしょう。地域が異なれば、表面上の〝症状〟や要素は異なるかもしれませんが、まちづくりの課題や難題の構造には共通するものが多くあるからです。

例えば、「多重の悪循環」と私が呼んでいる構造があります。「人口減少↓地元経済の規模の減少↓人口減少」という悪循環を第１章で説明しましたが、これはほとんどの地域での課題となっています。この悪循環によって、その地域の人々のやる気や希望が失われていき、ますますさびれてしまい、ますます「何をやってもどうせむだだから」とますますやる気や希望が失われるという、心理的な悪循環もあります。

そうなってくると、そのまちは人を惹きつける魅力を失ってしまうため、ますます外からの人や情報、知恵や技術、お金などが入ってこなくなります。そうすると、ますますその地域はさびれていってしまうでしょう。これも悪循環です。

まちが「多重の悪循環」にはまってしまっている場合は、目の前の問題に一つずつ対応しようとするのではなく、悪循環の根っこにある構造をしっかりと見つめ、そこに力を入れて取り組んでいく必要があります。八つの首を持つ伝説の大蛇・ヤマタノオロチと戦うのに、一つ一つの首と戦っていても埒(らち)があきません。その悪循環を束ねている根っこを絶つためには？というう視点が必要です（ちなみに、古事記によると、ヤマタノオロチを退治しようとしたスサノオは、強い酒を醸させて八つの桶に注いで待ちます。現れたヤマタノオロチは酒の良い香りに惹かれて八つの頭を八つの桶に突っ込んで酒を飲み、酔って眠ったところをスサノオがやっつけたそうです。八つの首のそれぞれと戦ったわけではなく、その大本（おおもと）を弱めることで勝ったのですね）。

多重の好循環が設計できた事例

さて、まちづくりの取り組み事例には、「多重の好循環」を創り出すことに成功している例があります。多重の好循環が設計できれば、お互いに好循環が好循環を生むようになり、小さな力で大きな変化を創り出すことができるでしょう。

「多重の好循環」を創り出すことに成功した、構造的にすばらしい働きかけの事例を紹介しましょう。熊本県黒川温泉のストーリーです。黒川温泉には30軒の温泉宿があります。かつては地図にも載っていなかったという、知られざる温泉でした。１９６４年に高速道路が近くまで延びると、団体客がバスを連ねて来るようになりましたが、そのブームが去ると、ふたたび停滞。１９７０年代に、旅館経営者の世代交代があり、旅館組合も新しい発想やチャレンジ精神の旺盛なチームとなりました。そして、１９８６年に始めたある取り組みによって、観光客がどんどん増えるようになったのです。今では大人気の温泉になっていることはみなさんもご存じのとおりです。果たして、どんな手を打ったのでしょうか？

この起死回生の一手とは、「入湯手形」でした。写真のように、地元の名産である小国杉を薄くスライスしたものに、焼き印を入れたものです。紐が付いていて、首からかけることができるようになっています。この入湯手形は一枚１３００円（子どもは７００円）で有効期限は６カ月です。この手形一枚で、黒川温泉にある28のそれぞれ情緒あふれる露天風呂のうち、３カ所に入浴することができるのです。１カ所ごとに、入湯手形に印を入れてもらいます。一日で３カ所回らなくても、６カ月以内なら何度来ても使えます。

黒川温泉の入湯手形

それまでも宿泊客以外でも温泉を利用することができましたが、１カ所の入湯料金は、６００円から７００円です。それが「１３００円で３カ所も回れます！」という入湯手形は大ヒットとなりました。観光客が首からこの入湯手形を下げて浴衣姿で歩いているのも、黒川温泉の一つの名物風景です。３カ所回ったあとの入湯手形は、温泉街の中ほどにある神社の横木にかけて帰ることもできます（次頁写真）。神社の横木には、色とりどりの紐で入湯手形がたくさんかけられていて、風にゆらゆらと

神社で風にそよぐ入湯手形

そよぐなど、これまた風情ある風景を創り出しています。もちろん、使い終わった入湯手形は持ち帰ることもできます。ちょうどコースターや鍋敷きにぴったりの大きさなので、自宅で楽しんで使っている人も多いとか。

この入湯手形が導入されてから、リピーターも増え、観光客数も大きく伸びていきました。まちにも活気が出て、元気なまちになっています。大成功です。しかも、単発の成功ではなく、そのあと何年にもわたって、観光客数が右肩上がりに増えていきました。打ち上げ花火のような短期的で一回限りの成功ではなく、「パターン」を創り出すことができているとしたら、そこには「構造」があるはずです(とシステム思考では考えます)。

多重の好循環を分析したループ図

私はこの入湯手形の取り組みが構造的に果たしている働きを知りたいと思い、温泉の人たち

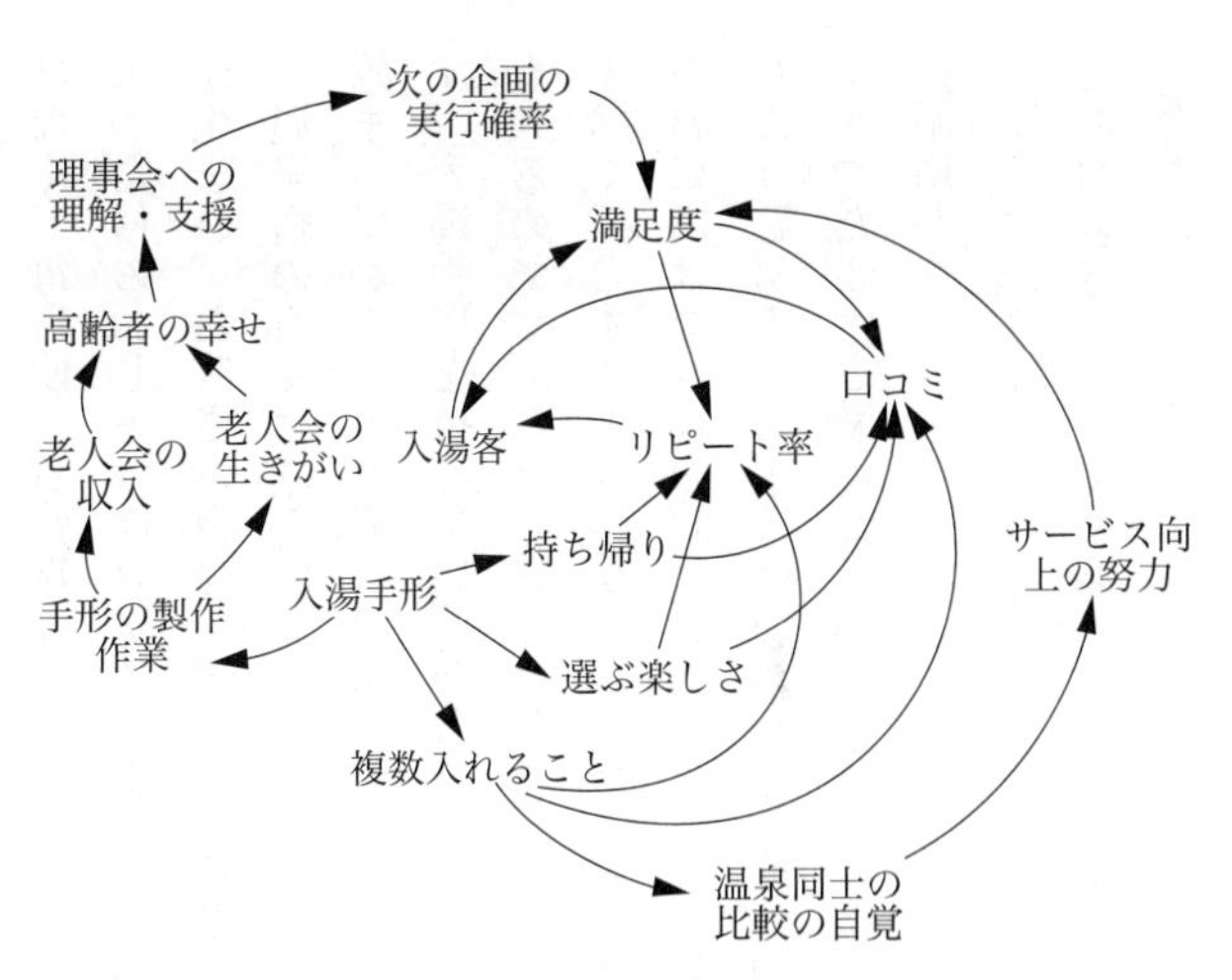

図18　入湯手形の構造への働き

にいろいろ話を聞いてみました。その話を聞きながら、私が描いたループ図が図18です。

入湯手形によって、これまで1カ所ずつお金を払っていた温泉に3カ所も入ることができます。28ものそれぞれに特徴のある温泉のどこに入ろう？ と選ぶ楽しさがあります。選ぶ楽しさに惹かれてリピートするお客さんも増えます。6カ月以内なら2回か3回に分けて訪れることもできます。これもリピート率を高めます。入湯手形は持ち帰ることができますから、「お土産効果」もリピートにつながります。

持ち帰った入湯手形を自宅やオフィスでコースターや鍋敷きとして使うことも、さらなる口コミにつながります。入湯手形を持ち帰れるようにして、しかも、どこかにしまっておくのではなく、毎日使える雑貨にした工夫がすばらしい！と思います。コーヒータイムに、焼き印の入った杉のおしゃれなコースターに目を留めて、「それは何ですか？」「これはね……」と会話が生まれ、お客さん自身が黒川温泉をPRしてくれる機会につながります。

温泉宿の方々に話を聞いて、「なるほど！」と思ったことがあります。それは、入湯手形が始まってから、それぞれの温泉宿が「比較される」ことを意識するようになったということです。入湯手形を持っているお客さんは、自分が宿泊しているところだけではなく、他の温泉にも入るのです。「比べられてしまう」ことを自覚した温泉宿は、前にも増してサービスを向上すべく努力するようになったそうです。他の宿に負けないぐらい、きれいにしておきたい。他の温泉にはない魅力的な温泉にしたい。それぞれの温泉宿がこれまで以上に魅力的な温泉宿にしようと努力するようになったことは、間違いなくお客さんの満足度につながります。「来てよかった！」と満足して帰るお客さんは、友達や同僚にも話をするでしょう。こうして、また好循環が生まれます。

「ところで、この入湯手形はどうやって作っているのですか？」と私は聞きました。たくさんのお客さんが入湯手形を買い求めますから、たくさんの入湯手形を作る必要があります。

「実はこれ、地元の老人会のみなさんにお願いして作ってもらっているのです」。杉の間伐材を薄くスライスして、焼き印を押し、紐を通す穴を空けて、紐を通して結ぶ、という作業に対して、一枚あたりいくらというお金が温泉組合から支払われます。

老人会のみなさんは、その収入を貯めて、年に一度、バス旅行に出かけるのを大きな楽しみにしているそうです。また、老人会のメンバーにとって、現役の温泉組合のメンバーたちが頑張っていることの手伝いができるということが生きがいにもつながっているといいます。収入と生きがいがまちの高齢者に幸せをもたらしているのです。そして、入湯手形という面白いことを考え、自分たちにも幸せをおすそ分けしてくれている温泉組合に対して、年配の人々が理解し、何かあれば支援しようと思うのももっともなことでしょう。この信頼と応援の土台ができているので、温泉組合が次の企画を考えて実行しようとするとき、成功の確率が上がります。それによって、黒川温泉全体がますます魅力的な温泉街になり、観光客の満足度をさらに高めるという好循環につながります。

黒川温泉で入湯手形を考えついた方々は、ループ図を作って分析した上で、「入湯手形」という起死回生の一手を考えついたわけではなく、直感的に「これだ！」と思ったのかもしれません。でも、その構造への働きかけを考えてみれば、観光客にとっても、まちの風情にとっても、サービス向上の努力を競い合う温泉宿にとっても、入湯手形の製作を担当している老人会の人々にとっても、うれしい好循環を創り出す企画であったことがわかります。

もちろん、どのようなまちづくりでもそうですが、「これであとはめでたし、めでたし」というわけにはいきません。黒川温泉にも、次のチャレンジが次々とやってくるでしょう。それでも、この入湯手形の事例には大事な学びがあると思います。他のまちづくりをお手伝いするときにも、それまで先細りだった観光客がどんどんと増え、今では大人気の温泉になった黒川温泉の例のように、「多重の好循環」を創り出せる取り組みを考えられたら、と思っています。

2　多くのまちに役立つ、いくつかの〝基本形〟

具体的なプロジェクトは、そのまちによって、タイミングによって、状況によって、様々な形をとるでしょう。しかし、多くのまちの取り組みを見、またいくつかのまちで、まちの現状や理想の姿の構造を考えるお手伝いをしてきた中で、まちづくりに役に立つ働きかけの〝基本形〟がいくつかあると思っています。

①つながる場やつなげる人

まちづくりのうまくいっていない構造の多くに共通しているのは、「情報や活動がつながっていない」ということです。いろいろな情報や活動はあっても、その情報が「それを使えば役に立つであろう人」につながっていない。お互いの活動を知れば、助け合ったり補い合ったりできるであろう人たちが、ただ互いの存在を知らないがために、活動の効果や広がりが限定的になっている、そういった状況がよくあります。そこで多くの場合、「つながる場を作る」「つなげる人を設ける」ことが、構造に働きかける大事なポイントになるのです。

また、業種やセクターを超えた連携を進めるためにも、コーディネーターが重要な役割を果たします。観光―農業、農業―福祉といった、異なる分野をつなぐことができる人がいれば、「ウィン―ウィン（一挙両得）」というようなプロジェクトも生み出せるでしょう。

海士町では、「産業文化祭」という、まちを挙げてのお祭りが秋にあります。ここでは様々な取り組みをしている人たちが、自分たちの取り組みや考えを発表する場が設けられています。大きなホールは発表を聞きに来るまちの人たちでいっぱいになります。「あんなことをやっている人がいるんだね、自分も一緒にやってみようかな」と人々をつなげる場になっているのです。また海士町には、「教育魅力化コーディネーター」がいて、行政や教育委員会、学校、地域をつなぐ役割を果たしています。下川町にも「未来の学びコーディネーター」が置かれています。

②居場所と出番

まちづくりの活動では、一生懸命まちづくりに関わっている人々が前面に出がちです。しかし、同時に、そのような舞台上には出てこない人たちや、取り残されがちな人たちのことも考える必要があります。ＳＤＧｓ的に言えば、「誰一人取り残さない」まちづくりが大事なのです。そのためには、すべての人に「居場所と出番」があるとよいですね。

大人も子どもも、性別や障害の有無や生活環境にかかわらず、「自分はここにいていいんだ」と、自分の居場所があると感じられる場所がまちのどこかにあるか、そして、「自分にできることがある」「自分も人の役に立てている」と感じられる場面があるか、が重要です。

京都大学の広井良典教授は、著書『人口減少社会のデザイン』（東洋経済新報社）の中で、「ヨーロッパの都市では、高齢者、あるいは高齢者に限らず様々な人々が、ごく自然に市場やカフェなどでゆっくり過ごす姿が見られる」「一般にヨーロッパの都市においては１９８０年代前後から、都市の中心部において自動車交通を抑制し、歩行者が〝歩いて楽しめる〟空間をつくっていくという方向が顕著になっている」「「座れる場所」が多く、そのことによって街が単に通過するだけの場所ではなく、くつろいでゆっくり過ごせるような空間になっている」と述べています。それに比べて、日本のまちには、人々が集まったり、立ち話をしたり、ベンチなどに座って話し込むことができるような〝まちの居場所〟があまりないですよね。

特に目的がなくても、人々が集まったり、ただたむろしたりできる場所を作ること。そして、いろいろな人たちが「自分にも出番がある」と感じられるような場づくりをすること。これらはこれからのまちづくりにとって大きなポイントとなると思っています。

③地元経済の漏れ穴をふさぐ

まちづくりを考える上で、「ある程度は自分たちで自立できる地元経済」は大きなポイントとなります。「地元調達率を上げたい」「地元の農作物をまちで買えるようにしたい」など、地元経済に関わることは、多くのまちづくりのループ図の中に出てきます。

『地元経済を創りなおす』で詳細を説明していますが、産業連関表を作成して産業側のお金の動きと漏れを調べたり、買い物調査を行って消費者側のお金の流れや漏れを調べるなど、追加の調査や分析を行うことで、まちの経済的な構造を良い方向に変える働きかけを考えることができます。

また、小さなまちであればあるほど、地元経済にとって役場の調達が果たす役割が大きくなります。多くの場合、役場が最大の調達元なのです！　そこで、南小国町では、産業連関表を作成してから、役場調達に焦点を当てて詳しく分析しました。その結果、「現在、町外から買っているものを町内から購入するようにして、町内調達率を5％上げるだけで、8200万円を超える波及効果が地元経済に生まれる」ことがわかりました。南小国町では、この結果をもとに、役場の調達を見直したり、地元経済を大事にする調達基準を検討するなどの取り組みを考えているところです。

④チャレンジを応援したり、みんなのプロジェクトにしていくしくみ

まちづくりを進めていくためには、行政や一握りのやる気のある住民だけではなく、まちの多くの人たちが、自分たちにもできることをいろいろ考えたり、試したり、チャレンジをすることが大事です。大きな挑戦も小さなチャレンジも応援して支えるようなプロセスや場所があると、たくさんのチャレンジが生まれやすくなります。

都市部では、コワーキングスペースを設けたり、新規起業者向けに様々なアドバイスを提供するような場が設けられていますが、地方に行くとそのような場が存在していない地域も多く

あります。また、起業だけではなく、みんなの〝マイプロジェクト〟を支援できる場やプロセスを作ることは、構造の様々なところへの好影響を創り出します。

　また、マイプロジェクトを考えるだけではなく、まちの人たちに向けて発表し、一緒にやってくれる人や支援者を募るような機会が作れると、いろいろな取り組みはさらに進みます。こうすることで、ある人のプロジェクトが「みんなのプロジェクト」になっていきます。プロジェクトを応援したり支えたりする人が増え、その中から「次は自分も新しいことを始めてみよう」という人も生まれてくるでしょう。これもまちの好循環につながります（『地元経済を創りなおす』の最終章で、英国のトットネスというまちで行っている素敵な取り組みを紹介しています）。

⑤外とのつながり方

　まちの構造をループ図にするとき、「まちの内側」に目が向きがちですが、「まちの外とどうつながるか」も、構造の大事な部分です。「交流人口」という言葉はよく使われるようになってきましたが、そのまちや地域に関心を持って、活動したり訪問したりしてくれる人たちと、どのようにつながっていくのか？ その人たちがいることで、まちの構造のどこに好影響が及ぶのか？　を考えることができます。

また、地域にとってはＩターン者ばかりではなく、Ｕターン者も非常に重要です。高校や大学、就職の際に、いったんまちから出ていくのは広い世界を知る上でも大切なことですが、スキルや人脈を得て、いつかはまちに帰ってきてほしい、まちのために力を尽くしてほしいと思っている地域も少なくありません。Ｕターンしたくなるようなまちの構造とはどういうものでしょうか？　どのような働きかけができるのでしょうか？

さらに、ＩＴの時代ですから、東京経由でなくても、だれかやどこかに仲介してもらわなくても、小さなまちだって世界と直接つながることができます。海士町はＪＩＣＡとコラボしてブータンなど途上国からの研修生を受け入れたり、シンガポール大学に高校生たちを連れて行って、大学生相手に英語でプレゼンテーションとディスカッションをする研修を行ったりしています。

特に、今では「ＳＤＧｓ」という世界共通言語がありますから、世界と直接つながりやすくなっています。私がお手伝いしている徳島県上勝町も、20年前からの「ゼロ・ウェイスト（ごみゼロ）」の取り組みが世界的に知られており、徳島空港から1時間ちょっとかかる山深いまちに、海外からの訪問者が絶えることがありません。このように世界と直接つながることを、まちの構造の中にどのように位置づけることができるでしょうか？　好循環につなげるために、せっかく来てくれる海外からの訪問者に何を提供してもらい、何を持って帰ってもらえばよいのでしょうか？

以上、多くのまちで大事だと思う共通ポイントを紹介しました。自分たちのまちの構造上のあちこちに、小さくてもよいから好循環を創り出せないだろうか？　そのような視点でループ図を見て、具体的なプロジェクトを考えてみてください。

3　プロジェクトを測る物差しが大事

指標が必要な二つの理由

ビジョンを描き、望ましい構造を考えたら、自分たちの取り組みは本当にそのビジョンや望ましい構造に近づいているのかどうかを測りながら進めていくことが大事です。ここで「指標」が重要な役割を果たします。指標とは、「望ましい方向に近づいているかどうか」を測るための物差しです。同じまちづくりといっても、「何を測るか」は、地域や目的によって異なりますから、それぞれの地域で、自分たちで自分たちのための物差しを考えることが大事なのです。

指標が必要な理由は二つあります。一つは、自分たちがどこに向かおうとしているか、つまり目標地を明らかにするということです。もう一つは、自分たちの取り組みが望ましい方向に進む上で効果があるのかどうかを知ることです。つまり、指標は「目標」と「進捗」に関する情報を提供してくれるのです。

最初の「目標」に関して、指標は、自分たちが目指しているところを具体的に示し、共有するために役に立ちます。市町村では総合計画などを作るときに、進捗を測る指標を設けているはずです。それぞれのまちがどのような指標を設定しているのかを見ると、そのまちがどういうまちを目指しているのかがより具体的に伝わってきます。これが指標の役割の一つです。同じようなビジョンを掲げても、どういう指標を設定するかによって異なる具体像が見えてきます。

指標が提供してくれるもう一つの重要な情報は、「進捗」具合です。「頑張っているけど、本当に何か変化が生まれているのだろうか?」と不安になることもあります。「もっと良いやり方があるかもしれない」と思うこともあるでしょう。進捗を測る物差しを設定すれば、時々測ってみて、自分たちの取り組みが効果的かどうかを自分たちにフィードバックすることができます。そうすることで、やりっぱなしではなく、着実に改善・向上していくことができるでしょう。

取り組みの計画→実施→効果測定→次の取り組みの計画→実施→効果測定……とPDCA（計画→実行→振り返り→計画）サイクルを回していくことで、着実に目標に向かって進んでいくことができます。指標による進捗確認はプロジェクトマネジメント上も重要なのです。

また、「ここまで進みました」と進捗を示すことで、取り組みへの理解や共感を広げることができます。活動に対して資金を提供してくれている行政や企業、まちの人たちに対して、「この資金のおかげで、ここまで進めることができています」と説明責任を果たすこともできます。

「指標の持つ力（パワー）」は思っている以上に大きなものです。なぜ多くの人が「自国のGDP（国内総生産）」や「株価」を見て一喜一憂したり、「何かしなくては（経済対策や財政政策を打つ、株を買う、売るなど）」と行動するのでしょうか？

指標には人を動かす力があるからです。GDPも株価も指標です。指標は変動します。人は、上がったり下がったりたり「変動するもの」に注意を引きつけられるのですね。だからこそ、「何を指標にするか」が非常に大事なのです。人々は指標になっているものを注視し、それによって自分たちの行動も変えようとするからです。したがって、「指標は実際に社会をある方向に向けて動かす力を持っている」とも言われます。

企業などでは、重要な指標のことを「KPI」と呼びます。Key Performance Indicatorの頭文字を取ったもので、日本語にすると「主要なパフォーマンス指標」となります。日本語で「パフォーマンス」と言うと、「演技」とか「人目を引こうとする行為」というイメージですが、ここでのパフォーマンスとは「実績」という意味です。つまり、KPIとは、「このぐらいやる気があります！」「このぐらい努力しました！」ではなく、「実際にここまで達成できました！」という、目標の達成度合を測る定量的な指標のことです。

まちづくりの取り組みでも、「何が増えれば(または減れば)自分たちのビジョンに近づいているとわかるのだろう？」と考えることで、自分たちなりの指標を設定することができます。まちづくりのお手伝いをするときは、ビジョンができ、ループ図の概要ができたぐらいのタイミングで、指標についても考え始めます。また、1年目にビジョンとループ図を作り、2年目に指標とプロジェクトを考える、というように、2〜3年かけてじっくり考えることもあります。指標を考える際のポイントをいくつか説明しましょう。

①何を測るかは目的しだい

ダイエットや運動の例にしても、体重を落としたいのなら体重を量りますし、脂肪を絞りたいなら体脂肪率を測るでしょう。マラソンの練習でも、走行距離を延ばしたいのか、ペースアップをしたいのかで、測るものは違ってきますよね。「何を変えたいのか？」によって測るもの（指標）が決まります。他のまちが用いている指標などを参考にすることはできても、「自分たちは何を変えたいのか？」「何が変われば、良くなったと思えるのか？」と話し合うことが何よりも大事です。

②先行指標・遅行指標を区別する

指標には、「実際の物事が動く前に動くもの」と「物事が動いたあとに動くもの」がありま す。それぞれ「先行指標」「遅行指標」と呼びます。例えば、景気の状況を測る指標にはいろいろなものがありますが、実際の景気の動きに先んじて上下動する「先行指標」には、「新規求人数」などがあります。企業が人を雇おうとし始めているぞ、ということがわかれば、これから景気は上向きそうだ、という予想ができます。

「小売業の販売額」などは、実際の景気の動きと同じタイミングで変動する「一致指標」の例です。景気の動きよりもやや遅れて表れてくる「遅行指標」には、「法人税収入」や「完全失業率」などがあります。SDGsの目標8の「完全雇用」を目標としているなら、その目標自体は「遅行指標」で測ることになり、その前段階の「新規求人数」などの動きを見ながら施策を打っていく、ということになるのかもしれません。

身近な例で言えば、飲み会で「お酒を飲んでいる量」は先行指標でしょう。それによって「血中アルコール濃度」を経て、「頭痛の度合」が遅行指標になるのかもしれません。または、「多すぎる仕事量」のせいで、「イライラ度合」が高まり、その結果、「コーヒーに手を伸ばす回数」が増えるという状況はありませんか？　ここでも先行指標と遅行指標を区別することができます。何かを測るときに、このように「先んじて動くもの」と「後から動くもの」を区別して考えると役に立ちます。

まちづくりで、「地消地産のまち」を目指しているとしましょう。ちなみに、よく「地産地消」（地元で作ったものを地元で食べましょう）と言いますが、「地消地産」（地元で消費しているものを地元で作りましょう）が地元経済の漏れ穴をふさぐ大事なポイントです。どの程度地消地産が行われているかは、まちの人たちが自分たちの必要なものをどこから入手しているかを調べることで計算できます（実際に「買い物調査」などとしていくつかのまちで調査・分析をしています）。

目指しているのは、「町民の多くが地元のお店で買い物をしている」ことで、その指標は「地元のお店で買い物をする町民の割合」などとなるでしょう。その目指す姿につながる前提条件などを先行指標として考えることができます。例えば、「地消地産が自分のまちにとって大事である」ことを理解・意識している町民の割合や、「地元で作られたものを置こうとする店舗の数・割合」など。最終目標に関わる指標を測るのではなく、このような前提条件としての「先行指標」も考えてみると、どのような取り組みをすればよいかもわかってくるでしょう。

③「測りやすいものを測りがち」に注意する

「人口」や「生活保護受給世帯数」などは、各自治体でデータを取っていますから測りやすいですが、「まちへの帰属感」や「住民の幸福度」はどうでしょうか。大事だ、測りたいと思っても、より主観的なものや測定方法も定まっていないものは簡単に測れないかもしれません。

往々にして、本当に大事なものは簡単には測れないものです。品質管理の大家エドワーズ・デミングは、「測らなければ管理することはできない」と述べる一方、「経営で大事なことのうち、実際に測れるのは3%しかない」とも言っています。まちづくりでも同じではないでしょうか。

「測る必要があるが、測りにくい・測り方がわからない」場合、測りやすいものを測って代理指標にしようとすることがよくあります。本当は「社会の進歩」や「人々の幸福度」を測るべきですが、それが難しいため、GDPを測って、国の進歩の指標としているのも、その一例かもしれません。「測りやすいものを測りがちだが、それでよいのか?」と自問すること、測り方を工夫して、できるだけ本当に測りたいものを測れるようにしていくことを忘れてはなりません。

まちにとって重要であっても、データが取りにくい、測り方がわからないなどの理由で、これまで測っていないものもたくさんあります。その場合は、「まずは測り方を考えます!」という取り組みも重要な一歩です。

④測るタイミングも考える

まちづくりの一環で、温暖化対策として、また域外へ流出するエネルギー代金を減らすために、「省エネのまち」を目指そう、そのために、町民の省エネ意識を高めて、省エネ行動をしてもらおう、と考えたとしましょう。そのための取り組みとして、町民向けのエネルギー勉強会や省エネ機器の補助制度などを考えることができるかもしれません。では、このような取り組みによって「省エネのまち」にどのくらい近づきつつあるかを、どうやって測ればよいでしょうか？

答えは一つではなく、いろいろな側面から測ることができます。いちばん測りやすいのは、「町民勉強会を何回開催したか、何人が参加したか」かもしれません。これは、取り組みの「活動量」を測ることにはなりますが、参加した町民の意識が本当に変化したのか、行動につながったのかまではわかりません。しかし本当に知りたいのは、意識と行動の「変化」です。

意識の変化を見るには、勉強会の開始前と終了後にアンケートに答えてもらうことで、省エネ意識がどのように変わったかを測ることができます。こうすることで、単なる活動量ではなく、目指している「変化」が測れます。

ただし、省エネ勉強会の究極の目的は、意識の変化を通して、「行動」を変えることです。そこで、勉強会への参加によって、省エネ行動が増えたかどうかを測ることが重要です。ただ、勉強会の直後に測ろうとしても、「省エネ行動をするつもりがありますか」という意図のレベルしか測れません。実際の行動の変化を測ろうとするのであれば、勉強会から数週間後か、数カ月後に、「以前に比べて、このような行動が増えましたか、減りましたか」という形で、行動の変化を尋ねる必要があります。

さらに言えば、省エネ意識や省エネ行動は、定着してはじめて長続きします。勉強会の直後は「確かにそうだ！」と思って行動を変えても、しばらく経つと、忘れてしまったり、元の木阿弥に戻ってしまうということも少なくないからです。そう考えると、1年、2年と間隔を置いて、意識や行動を測って比べることが必要です。

このように、指標を考えるときには、「何を測るか」だけでなく、「いつ測るか」も考える必要があります。

⑤定期的に測定する

私がお勧めしているのは、取り組みごとの測定と定点測定の組み合わせです。今の例で言えば、町民向けの勉強会ごとに、そこでの変化を測ることができます。それとともに、住民の意識や行動に関する調査をまちが定期的に行い、そこにまちづくりで変えていきたい意識や行動も含めていくのです。

下川町では、4年に一度「下川町まちづくり町民意向調査」を行っています。毎回同じ質問項目を尋ねることで、定点観測的に町民の意識や意向の変化を見ることができます。「省エネのまち」に取り組むのであれば、このような定期アンケートに、省エネ意識や行動に関する項目を追加することで、毎年の意識や行動の進捗度合を見ていくことができます。

省エネ機器やソーラーパネルなど再エネ機器への補助制度の効果を知りたいとしましょう。そういった補助制度があることを広報や勉強会で知ったとしても、「すぐに導入しよう！」という人はそれほどいないでしょう。機器の導入には、知識や必要性の有無だけではなく、資金の手当てをどうするかを考えたり、業者から見積もりを取る時間を確保するなど、いろいろな必要要件があるからです。一回の広報や勉強会で、すぐに省エネ機器やソーラーパネルの導入につながるわけではありません。

そういう場合にも、毎年または数年に一度、機器の普及率や導入件数を測定し、経年変化を見られるようにしておくことが役に立ちます。広報や口コミなど、じわじわと効いてくる施策もあります。その結果、少しずつでも導入や普及率につながっていることがわかれば、さらに力を入れて普及策を促進できることでしょう。

⑥行政指標と住民指標を組み合わせる

まちづくりの指標を考えるときには、「行政指標」と「住民指標」の両方を考えることが役に立ちます。

国や自治体ではふだんから様々なデータを取っていますので、そういった指標で使えそうなものがあれば、データを入手することができます。まちづくりで言えば、生活保護受給世帯数、完全失業率、出生率や人口の増減率、全国における小・中学生の学力などが「行政指標」として活用できるかもしれません。

ただ、このような行政指標として整備されているものは、まちづくりにとって重要な側面のごく一部しかカバーしていません。また、行政指標のデータは、まちの人々にピンとこない場合もけっこう多いものです。

「指標には人を動かす力がある」と先に述べましたが、そのためには、人々が動きたくなるような指標、人々が関心を持つような指標、人々がその増減に注目をするような指標である必要があります。「自分たちには関係なさそう」「お役所的な固い感じがする」という指標ばかりだと、「人を動かす」力は出てこないでしょう。

そこで、行政指標ではカバーできていないものを測り、住民にピンとくる指標「住民指標」

を作っていくこともお勧めしています。例えば、「誰一人取り残さないまち」というビジョンがあったとします。町役場が持っている行政指標で、「貧困世帯の割合」を測定していれば、このビジョンのある側面を測れるでしょう。でも、貧困層でなくても、「取り残されている人がいないか」を測りたいとしたら、どうすればよいでしょう？

一つのやり方は、アンケートでまちの人に「このまちに自分の居場所があると感じていますか？」と聞いてみることです。「居場所がない」と思っている人の割合を測ることができます。その数字が正確かどうかよりも、「このまちに自分の居場所があると思う」人が増えているのか、減っているのか。それを見ていくことで、「誰一人取り残さないまち」に向かって進んでいるのか、そうでないかを見ていくことができるでしょう。

指標と言うと難しそうなイメージがあるかもしれませんが、子どもの熱があるかないかを調べるのに、おでこに触れて「あ、熱があるね」「下がってきたね」というのも指標です。まちの人々の実感につながる指標が一つでも二つでも考えられたらいいなと思います。

そういった指標の例として私がよく話すのが、米国シアトル市での指標づくりで出てきた「まちの中を流れている川を遡上するサケの数」です。シアトルでは１９９０年代に、多数の市民が参加したプロセスを経て、まちの指標を作りました。その中の一つが、「まちの中を流れている川を遡上するサケの数」だったのです。川がきれいになれば、ここしばらく見えなくなってしまった遡上するサケの数も増えるでしょう。それはまちの人々に「見える」指標です。まちの川を遡上するサケを見たら、わくわくするのではないでしょうか。守っていきたい、もっと増やしたい、と思うのではないでしょうか。住民が創り出し、住民に響く住民指標の好例の一つです。

第5章　プロセスから生まれるもの

1 まちづくりのチーム

丸投げしたのでは生まれないプロセスの価値

ここまで、どのようにしてまちの共有ビジョンを作るか、まちの現状と望ましい構造を見える化するか、どのように構造に働きかけるプロジェクトや進捗を測る指標を作るかを説明してきました。

成果物としてのビジョンやループ図、まちの総合計画に書き込む施策や、指標ももちろん大事ですが、この「ホップ、ステップ、ジャンプ！」のプロセスを通じて生まれるものが、いちばん大事だと私は考えています。

半年から1年間かけて、まちの中でまちづくりを真剣に考えている様々な人たちが集まって、まちの人々の声を聞きながら、自分たちのまちのありたい姿を考える。そして、単に思いつきではなく、構造を考えた上でプロジェクトを考えていくというプロセス自体に大きな価値があるのです。これは、コンサルティング会社に丸投げしたのでは生まれない価値です。

具体的には、ビジョンを策定したあともまちづくりを考え、実行し続けていくチームです。

当初の委員会の委員以外にも、より広く一緒にやっていく仲間やサポーター、理解者が生まれます。これらはビジョンを実現する上での何よりの力になります。逆に言えば、そういったチームやサポーター、理解者を生み出せないプロセスでは、提出用のビジョンや計画は作れても、ビジョンの実現は難しいでしょう。地方人口ビジョンを作るよう政府から要請があったとき、残念ながら「仏作って魂入れず」のようなビジョンを作った地域も少なくありません。そうではなく、「魂を入れながら仏を作る」やり方でビジョンづくりをしてほしいと願っています。

また、この共有ビジョンを作るプロセスを通して、「自分たちのまちにはこんなにすばらしいものがあるのか」と再発見することもよくあります。この再発見は喜びになり、力になります。そこで、そのような取り組みを意識的に応援することもしています。「プロセスから生まれる大事なもの」を紹介していきましょう。

過程から生まれる信頼関係とチーム

海士町では、「あすあま」という委員会で共有ビジョンを作るプロセスを通して、素敵なチームが生まれました。海士町創生総合戦略には、「このプロセスを経て、理想の海士をつくるためにメンバーひとりひとりが挑戦に向かっていくための「あすあまチャレンジプラン」をつくることができましたが、何よりの成果は、多様なメンバーによる長時間にわたる議論を通じて、それぞれが抱える課題や悩みを共有し、お互いに刺激と気づきを得ながら、挑戦を応援しあえる信頼関係が構築できたことです」と書かれています。

公益財団法人日本離島センターの機関誌『しま』244号で、インタビューを受けた山内町長(当時)は、「プランは、役場の職員だけでつくっては意味がない。やはり町内の若者たちが本気で取り組むことが重要です。メンバーにはいろいろな人がいましたが、とくに役場職員は、大きく伸びたなと感じました。説明が苦手だった職員も、すごく上手くなりました。それが何よりうれしかった。繰り返しになりますが、大切なのは、なぜこういうプランが生まれたかという過程です」と語っています。

あすあまチームが共有ビジョンとループ図を作る過程では、月1回の私の訪問時以外にも、みんなで集まり、議論を続けていました。分野ごとにループ図を作ったときには、グループに分かれての分科会が何度も開かれました。また、委員会が始まって2カ月後には、委員会のみんなで大分県の湯布院から熊本県の黒川温泉を訪問し、まちづくりについて学び、意見交換をしてきました。長い道中でメンバーがそれぞれ自分の思いを語り合ったことも、チームづくりの基盤になったと思います。「あすあま」のメーリングリストは今も健在です。あすあま全体もグループも、今でも「チーム」として声を掛け合い、応援し合い、情報を共有し合い、取り組みを進めています。

あすあまのプロセスが始まったときには若手代表だったメンバーも、数年経って、役場職員では課長になるなど、責任も権限も大きくなってきました。民間でも、自分の組織のトップになったり、新たにできた会社の社長になって大活躍しているメンバーもいます。そういった広がりや展開をみんなで応援している「あすあまチーム」です。

まちづくりの仲間、サポーター、理解者

まちづくりは、少数のやる気のある人だけでは進めることができません。そこで、第2章で紹介したように、共有ビジョンを作るときには、できるだけ多くのまちの人々の声を寄せてもらうことを意識しています。実は、このことがまちづくりの仲間やサポーター、理解者を増やすことにもつながるのです。

ふだんはまちづくりについてそれほど考えていない人でも、「20年後のまちには、今と比べて何が増えていてほしいですか？　何が減っていてほしいですか？　何は変わらずにあってほしいですか？」と問われると、「はて、なんだろう？　何が増えたら自分はうれしいかな？」

と考え始めます。人は多くの場合、問われてはじめて考え始めるものです。この「問いの力」を味方にすることがポイントです。

つまり、ビジョンを作るときにできるだけたくさんの人々に関わってもらうことが、ビジョン策定のあとにもつながるのです。ヒアリングで意見を聞くだけではなく、委員会そのものに関わってもらうこともできます。上勝町では、「○月○日、○時から共有ビジョンを作る委員会を開催しますから、ご興味のある方はどなたでもご参加ください」と広報し、特に申し込みも不要で、委員会に参加してもらっていました。町長から委嘱を受けた委員は決まっていますが、それ以外のだれでも委員会に参加できます。オブザーバー参加の人たちもグループを作って、委員のグループと同じようにビジョンを考えたり、ループ図を作る作業を行います。全体での意見共有で発表してもらって、そこから出てきた大事な意見やコメントを委員メンバーが採り入れて一緒に考えていくことができます。

毎回のオブザーバー参加者は10人前後、ときには委員の数よりも多いのではないかということもありました。途中の回から参加する人も多いので、それまでの議論の流れをグラフィック・レコーディングで確認したあと、その日の議論に参加してもらいました。

「人は決まったことをただ伝えられるより、それを決める過程に参加しているほうが決まったことを実行する確率が高くなる」ことが心理学の研究からわかっています。共有ビジョンやプロジェクトを作るプロセスにできるだけ多くのまちの人々に参加してもらうことが大きなポイントです。そこから、まちづくりの仲間やサポーター、理解者が増えていくからです。

また、委員会には参加できない・しないまちの人々にも、まちのビジョンを策定する委員会が開かれていること、そして、そこでどのような議論が行われているかを伝えることが大事です。そうすることで、「何だかわからない間に、なんかまちのビジョンができたらしいよ」というのではなく、「こういう人たちが、こういう議論をして、まちのビジョンを考えている、自分も参加し、意見を言おうと思えば参加できるけど、今は委員さんたちにお願いしておこう」と見守ってくれる人が増えるでしょう。

どうやったら、まちの人々に委員会ができていることや、その議論の内容を伝えることができるでしょうか？　南小国町でビジョンづくりを行ったときは、地元のケーブルテレビがこまめに取材に来てくれて、委員会の雰囲気や議論のようすを伝えてくれました。また、この南小国町ケーブルテレビの人気番組「うきばあちゃんの小国弁講座」の主役である、うきさんと私が共有ビジョンを一緒に語る番組も収録し、町内向けに放映してもらいました。話が乗ってくると、うきさんの小国弁が炸裂し、だんだん外国語に聞こえてきます。すると、私が「小国弁、わからん」という札を上げ、標準語に「通訳」してもらう。私が「ＳＤＧｓ」などなじみのない言葉を使って説明すると、うきさんが「そりゃ、なんな？」という札を上げる。といった具合で、まちの人々に共有ビジョンを知ってもらう楽しい番組になりました。

地元にケーブルテレビ等がある場合は、このように細やかに情報提供ができます。海士町ではそれに加えて、広報が得意なメンバーが、「あすあま通信」という手づくりのお便りを作ってくれました。会議があるごとに、その内容や出た意見を、写真やイラストも入れて、Ａ４用紙１枚、表裏のニュースレターにして、まちの人たちにようすを伝えてくれました。

ビジョンを作る上で、まちの人たちに大きく関わってもらえる最後のチャンス？が、パブリックコメントです。委員会で作ったビジョン案をまちの人たちに見てもらって広く意見をもらい、その上で仕上げていきます。町民市民の意見を募集するパブリックコメントは、まちの様々な政策に関して行うことがよくあります。しかし、往々にして、少数の人たちが意見を寄せるだけで、まちの多くの人々は関心を持たないか、パブリックコメントで意見を募集していることも知らないまま終わってしまいます。

そこで下川町では、共有ビジョン委員会の町民委員が有志で町民に呼びかけ、「パブリックコメントを書く会」を開きました。今自分たちが作っているビジョンを自分たちの言葉でまちの人々に説明し、意見交換をするとともに、役場に提出するパブリックコメントを書いてもらおうという会です。まちの人たちの集まりやすさを考えて、昼の部と夜の部の2回、「パブリックコメントを書く会」が開催されました。

上勝町でも、「パブリックコメントを考える会」を開きました。このような案内をまちの広報紙に載せました。

> 今回作成した上勝町共有ビジョン(ありたい姿)案は完璧なものではありません。住民の皆様の意見を反映し、より理想の姿へと近づけていけたらと考えております。しかし、意見を述べることはそう簡単ではないと感じる方も多いと思います。つきましては、一緒に意見を考える会を開催いたします。上勝町ＳＤＧｓ推進委員会のメンバーと共にパブリックコメントを一緒に考えましょう。
>
> 「コミュニティセンターでパブリックコメントを一緒に考える会」
>
> 日時：2月12日(水)18時30分～20時30分　　場所：コミュニティセンター2Ｆ

当日は、20人を超えるまちの人たちが集まってくれました。グループに分かれ、それぞれのグループで委員メンバーが自分の思いと言葉でビジョンを説明し、忌憚のない意見交換を行いました。

このようなプロセスを経て、共有ビジョンをより良いものに練り上げていくだけではなく、「このプロセスに自分も関わっているのだ」と思えるまちの人々を増やすことで、まちづくりの仲間やサポーター、理解者の広がりにつながります。

ビジョンを策定し、町長に手渡しし、委嘱期間が終われば、ビジョンを作ってきた委員会は公には解散となります。しかし、ビジョンを作るプロセスで、しっかりしたチームができていて、委員以外の人も含めて拡大チームが育っていれば、そこから様々な取り組みやグループが生まれてきます。このように、まちの中でいろいろな取り組みやグループの「生態系」を生み出す、その土台を作れるようなプロセスを経て、ビジョンを作ることが本当に大事だと思うのです。

2　希望の好循環へ

ありもの探し

「地元学」という考え方があります。地元学ネットワークを主宰する水俣の吉本哲郎さんに教えてもらいました。「地元学」とは、「地元」を対象とした「学問」ではなく、「地元に学ぶ」ということです。地方はよく「東京に比べるとうちには何もない」とよく嘆くが、ないものを嘆くんじゃなくて、ありもの探しをして、自分たちの地域を自分たちで再発見し、地元に学びながら地域を作っていこう――そういう考え方です。

まちの共有ビジョンを作るときに、「増えていてほしい」「減っていてほしい」「変わらずにあってほしい」ものを出し合います。そのとき、「自分たちのまちには何があるのだろう？」「変わらずにあってほしいものは何だろう？」と考えることは、まさに「ありもの探し」です。「これまで当然と思っていたけど、これって大事だよね、すばらしいよね！」という発見がいっぱい出てきます。このプロセスは、力になります。誇りと自信にもつながります。

「ありもの探し」をするときには、移住者や地元の外から来ている人たちの「見る目」が役に立ちます。もともと地元にいる人にとっては、それがあることはあまりにも当然であるため、「自分たちにそれがある」ということがわかりにくいからです。「東京にはない、こんなすばらしいものがここにはある」という発言を移住者がすると、地元の人が「そんなものがすばらしいの？」とびっくりしたりします。

何年か前に、大学生を連れて熊本県山都町の水増という集落にうかがったことがあります。10世帯18人、平均年齢は70を超えるという小さな集落です。東京や横浜出身の大学生たちは、その集落で泊めてもらっていろいろな体験をさせてもらいました。帰京前の最後の集まりで、学生たちはお礼の言葉とともに、口々に、「夜が真っ暗で感動しました」「鶏の声で起きるって、びっくりしたけど面白かった」「見渡す限り緑ばっかりで、人工的な看板などが全然ないのが気持ちいい」「さっきまでそこに植わっていた野菜をいただけるって、こんなにおいしいんだと思いました」などと、新鮮な感想と感動を集落のみなさんに伝えました。集落のみなさんは、「そんなことがすばらしいの？　自分たちは都会にあるものがここにはない、ここは何もないところだ、といつも思っていたけれど、都会にないものがここにあるんだね」とうれしそうに話していました。「ないものねだりではなく、ありもの探し」は、特に地方でのビジョンづくりやプロジェクトづくりに有効です。

南小国町では、共有ビジョンを作る過程で、「SDGsのこの目標で言えば、まちではこの人がこんなことをやっているよね」という声がたくさん聞かれました。そこで共有ビジョンを作ったあとのプロジェクトとして、地元で共有ビジョンのいずれかに関わるような活動をしている人たちにインタビューして、その活動をわかりやすく紹介する、という取り組みをしました。

20人ほどの、まちの中で様々な取り組みをしている人たちに取材し、その活動をまとめました。例えば、次のものです。

- 南小国町で年に一度開催されている「きよら人権デー」と、最近設置した公設の塾「きよら」の取り組み
- 月に一度、地元食材を使った学校給食を提供する「みなみおぐにの味」
- 「吉原岩戸神楽」「中原楽」「市原獅子舞」などの伝統芸能や神事
- 黒川温泉観光旅館協同組合の、冬の「湯あかり」の取り組み
- 南小国町の木材新産業拠点であり、杉を使用した製品を県内外問わず広く発信している、ファブラボ阿蘇南小国
- 小国杉を利用した木質ペレット製造
- 熊本県内初の50キロワット木質バイオマス発電の取り組み

このとりまとめは、南小国町第4次総合計画にも組み込まれており、また、まちの内外の人々に南小国町の「すばらしいありもの」を伝えていく一つの力となりそうです。

地元経済を創りなおす取り組み

多くのまちの共有ビジョンには、「地元の経済」についての項目が含まれています。元気な地元経済があってこそ、まちも持続可能になりますから、当然と言えば当然なのでしょう。「地域資源や人材を活用した経済活動で自立している島」という海士町のビジョンや、下川町では、「人も資源もお金も循環・持続するまち」として、「人・自然資源（森林・水など）・お金などすべての永続的な循環・持続、農林業など産業のさらなる成長、食料、木材、エネルギーなどの地消地産により、自立・自律するまち」をうたっています。上勝町も、「地域の魅力が経済へとつながるまち」を掲げ、「上勝から生み出す物やサービスによる価値が町内外に広がり、幸せに暮らし続けられる経済を育み、人とお金を町内に増やす」ことを目指しています。どのビジョンでも、「地域資源の活用」「地消地産」「自立」「お金が町内に流れる」などがキーワードです。こういったビジョンの実現に向けて、まずは地元経済の現状を調べることで、どこに活用できる地域資源があるか、現在まちで消費しているものでまちの外から買っているものは何か、などを具体的に見極めて、改善の手立てを打っていくことができます。

方法論の詳細は『地元経済を創りなおす』に譲りますが、お手伝いしているまちでは、共有ビジョンに向けて「地元経済」の現状を知り、改善策を考える取り組みも進めています。

下川町では、7年前に作成した産業連関表を改めて調査・分析し直すとともに、買い物調査を実施し、事業者および消費者のお金の流れを見える化して、対策を考える土台を作る作業を進めています。

先述したように南小国町でも、産業連関表と買い物調査を行い、特に、役場調達の分析を行うことで、「南小国町役場の年間支出は38億円で、そのうち38％にあたる14・5億円は南小国町の外に漏れている」ことがわかり、「もし役場調達の5％を南小国町内での調達に変えれば、まちの経済への波及効果は8220万円」ということが計算できました。町役場では各課で調達しているものを「町内」「町外」に分類し、町内調達に変えられそうなものから切り替えていけないかと考えました。

プロジェクトとして実際にやってみたところ、町内調達に変更可能な品目は765項目、金額にして約1億7500万円分あることがわかりました。これは仮定の数字5％よりも多い、8・3％に相当し、その町内経済への波及効果は約2億円にのぼります。これによって、町内事業所や雇用者の所得、まちの税収も増やすことができます。担当者は「調達分析は、どこに重点的に力を入れるべきかを判断するのに役立った」と述べています。

海士町でも産業連関表を作成し、現在それに基づいて、「漏れ穴」をふさぐ取り組みを考えています。南小国町の役場調達の事例を海士町で紹介し、「まずは1%でよいので町外調達を町内調達に変えていきませんか?」と提案したところ、事業者からは「1割はいける!」という意気込みの声も上がりました。その後、事業者が「これはお前のところでできる」「あれはまちでいけるんじゃないか」という具体的な議論が始まっています。

自治体によってポテンシャルの違いはありますが、役場調達を分析し、改善していくことは、比較的簡単に進めることができ、多くの場合大きな効果が得られます。事業者に「地元から調達しましょう」という前に、まずは率先垂範するという意味でも役に立ちます。そして、このような取り組みを通じて、次のステップとしては、コストや品質、納期に加えて、「域内循環も考えに入れた調達基準」を役場や事業者向けに作れないかと考えています。

行政主導を超えた社会参加が創り出すまちの変化

これまで紹介してきたように、海士町ではあすあまの会が中心となって「ありたい島の姿」としての共有ビジョンを描き、ループ図を使って、まちの現状と望ましい未来の構造を考え、現在の構造を変えるための施策や取り組みを考えました。そのプロセスの間にも、そしてできあがったビジョンを町長に手交したあとにも、あすあまのメンバーが次々とプロジェクトを生み出し、まちに変化を創り出しています。

あすあまでの経験をベースに、自分の職務の中で展開しているプロジェクトもあれば、あすあまメンバーや他のまちの人たちと一緒に進めている地域のプロジェクトもあります。「ビジョンを作って終わりではない」好例として、あすあまの会をきっかけに、社会福祉協議会の片桐一彦さんが展開している具体的なプロジェクトを紹介しましょう。

東京生まれの片桐さんは、24年前に海士町にIターン者としてやってきました。2007年には社会福祉協議会の、日本でいちばん若い事務局長に就任。「島で生まれて、島で死ぬ。そんな当たり前のようだけど難しくなってしまっていることを、なるべく早く実現できるように頑張りたい」という思いで福祉に関わっておられます。あすあままで身につけたループ図を自分の仕事でも活用しています、と見せてくれました。

片桐さんはあすあまを振り返って、こう語ります。「海士町は、これからは行政主導というより地域住民が社会参加をしなければいけない。事業者やいろいろな人たちが「じゃあ、どうするんだ」と議論する場が必要だと思っていました。そこに、まちのいろいろなところで活動している人間がつながって未来を語れたということは、非常に意味があったと思います。特に僕は福祉を軸に参加させてもらっていますが、もっともっと幅広いつながり、例えば教育や観光などいろいろな分野の人々とつながり、一つのコミュニティをみんなで考える機会があったということは大変大きな意義がありました」。

片桐さんは、福祉の人づくりを目指して「福祉学習」や、地元の高校生を対象とした「福祉ゼミ」などを進めています。そして、2017年5月に、新しい福祉の拠点ができました。「チェダッテ（海士町の方言で、「みんなで」「こぞって」という意味）」という、福祉関係者向けのシェアハウスです。シェアハウス4部屋の他、簡易宿所（交流スペース兼）もあり、福祉や地域の交流、学びの場として活用されています。

チェダッテができるまでの背景を、片桐さんはこのように書いています。あすあまで身につけたループ図もしっかり活用されています！

> 海士町は様々な挑戦や施策を行っていますが、例に漏れず人口減少が大きな課題です。特に福祉の支え手不足は、島民の生き方に関わってきます。島で暮らせなくなった人（高齢者）が島外の施設に移住することが多くなり、さらに人口が減少する負のループが発生します。

海士町の福祉人材を確保するために、三つのことをやってきました。一つは福祉学習を充実し、未来の担い手として人材を育成すること。もう一つは介護教室や地域福祉を推進し島民の介護力をつけること。最後の一つは、島外で島の暮らしと福祉をPRし、Iターンを確保することです。

海士町にはもう一つ大きな課題があります。それは住宅不足です。島内でも核家庭が進み、子どもは町営住宅に住むことが増えています。また、Iターン施策により多くのIターンが海士町に来ますが、住宅不足のために移住を諦める人もいます。年度途中で移住を希望する人の多くは、住宅不足のために移住につながりません。

島暮らしのいいところは、おすそ分けや魚や野菜の差し入れだと思います。しかし、島に住んだから魚が自然にもらえるわけではありません。地域住民の方と付き合い、一緒に色々な活動を行うことで、差し入れがくるのです。町営住宅に移住し、仕事と家の行き来だけの生活を送ると、島の魅力を堪能できません。特に福祉の従事者は業務の忙しさから、このようなケースに陥ることが多いのです。

そこで思いついたのが、地域交流型の福祉職専門シェアハウス構想です。そこに島外からの福祉移住者を呼び、島の魅力でもある地域交流を行い、それを発信することで更なる移住者を生む。それがこのループ図です。

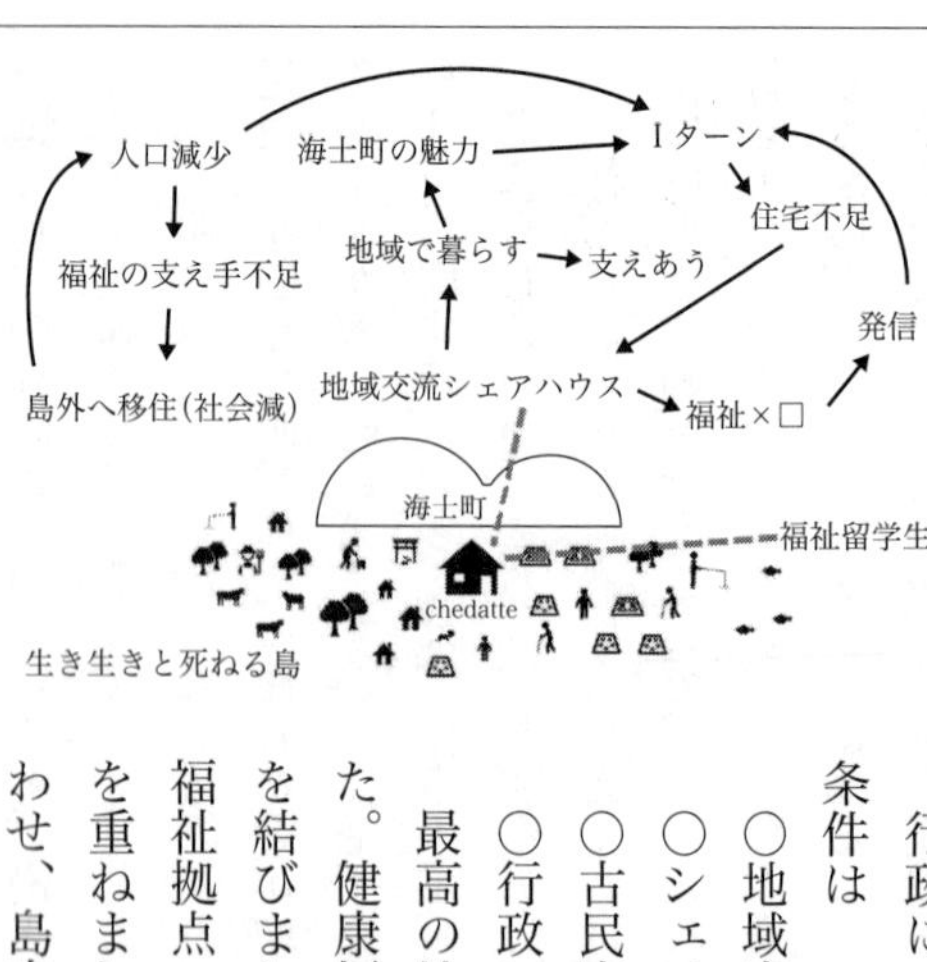

行政にプロジェクトを説明し、物件探しを行いました。

条件は

○地域密着型で畑などが近くにあること

○シェアハウスになるだけの部屋数があること

○古民家で自分達がリノベーションできること

○行政に貸与もしくは譲渡してくれること

最高の地区(北分地区)に、最高の物件が見つかりました。健康福祉課長が所有者に交渉し、貸与と改修の契約を結びました。設計者も決まりました。海士町の新たな福祉拠点・発信拠点としてどのような改修をするか協議を重ねました。どのような施設にするか、数々の打ち合わせ、島内外の人とワークショップを行いました。

改修後、福祉従事者雇用促進拠点施設として海士町社会福祉協議会が指定管理を受け、運営をしています。

片桐さんは、こう言います。「人を呼ぶときには、都会にはない〝人とのつながり〟をベースに福祉の入り口をつくって、「地域の中でこういう暮らしを残したいから、僕たちは福祉をしているんですよ」っていう点も伝えています。だからって人がたくさん増えたわけではありませんが、今、海士のサービスが現状を維持できていて、今でも月に1回くらいは「まだ募集ありますか」と言ってもらえるようになったのは、このおかげだと思います。あすあまのメンバーにいろいろアドバイスをもらったことが本当に役立っています」。

敵対と分断を超えて

「はじめに」で触れたように、2011年の東日本大震災と東京電力の原子力発電所事故のあと、原発のある新潟県柏崎市で3年にわたってまちづくりのお手伝いをしました。共有ビジョンを作り、まちの構造を変えるための具体的な取り組みを進めていくプロセスが、数十年にわたる固定化された深い溝に橋をかけ、多くの人があきらめていた希望を見いだす一助となりえるのだということを身をもって学ぶ貴重な経験となりました。

柏崎市は東京電力の原子炉七基を抱える自治体です。かつて豊かではなかった地域が地域振興の手立てとして選択したのが原発誘致でした。住民の中には反対意見も強く、原発推進派と原発反対派が対立するという構造がその後60年以上にわたって続いてきました。

当時の会田市長は、それまでの市長と違って、原発に賛成でも反対でもないスタンスで市長となられた方です。「柏崎の経済はたしかに原発に頼っている部分が大きいが、将来もずっと頼り続けるのも持続可能ではない」という考え方でした。「ではどうしたらよいかという議論をしたくても、できなかった。東京電力福島原発の事故のあとですら、会話が始まらなかった」という状況の中、会田元市長がユーチューブでご覧になったのが、私が他の呼びかけ人とともに始めた「みんなのエネルギー・環境会議」の中継でした。

「みんなのエネルギー・環境会議」は、3・11のあと、原発の推進派・反対派の先生方と一緒に立ち上げたものです。原発の推進派は推進派だけで話をし、反対派は反対派だけで話をし、お互い相手を非難するだけで対話がない、という状況を何とかしたいと思ったからです。日本各地で、公開議論を行い、推進派も反対派も、まずは話し合いのテーブルに着こう、互いの考えと思いを聞こう、一緒にデータを見ながら、どこまでは意見が同じでどこから違うのか、それはなぜなのかを丁寧に見ていこう、という話し合いをしてきたのです。

会田元市長から、これらの会議でファシリテーターをしていた私に、「柏崎でも原発の賛否を超えた議論をしたい」と声を掛けられ、「明日の柏崎づくり事業」が始まりました。

まずは、この事業を進めるための実行委員会の運営のお手伝いが始まりました。市が委嘱した8人の委員は、原発推進派が3人、反対派が2人、中間派が3人。第一回の委員会が始まると、まるでお通夜のように、しーんとしています。議論にも対話にもならないので、ファシリテーターの私は困ってしまいました。

でも、それがなぜなのか、すぐにわかりました。人口9万人の小さな市です。お互いに知っていて、つながりが強い地域ですから、「原発に関してはあえて口にしない」ことが不文律だったのです。隣のおうちは違う意見かもしれません。ちなみに、実行委員会の中で、強力に原発推進を説く委員の主治医は、同じ委員会の原発反対派の筆頭メンバーでした！　みんな「話さないこと」でまちの平和を保っていたのです。

しかし、それでは議論が進みません。「明日の柏崎」が作れません。そこで、実行委員会で話し合う議題を変えることにしました。「原発の是非」「再稼働の是非」がテーマでは、乖離が大きすぎて話ができません。そこで、原発の是非はいったん置いて、「どういう柏崎にしたいか」というワークショップにしたのです。最初はぎこちなく遠慮がちだった委員も、壁に貼った模造紙を囲んで、「こういうまちにしたい」「美しい自然は子どもや孫の代まで残したい」など、意見を出してくれるようになりました。

この「まちの共有ビジョン」を考えるという作業をしてみて、委員会メンバーの全員にも、事務局を務める市役所の担当者にも、みんなに明らかになったことがあります。それは、「原発を巡る意見は違っても、まちの将来のビジョンは同じなのだ」ということです。

「子どもたち、孫たちが、自信を持って帰ってこられる、誇りの持てる柏崎にしたい」――ありたいまちの姿は同じなのです。「だから、原発が必要だ」と言う人がいる。「だから、原発があってはいけない」と言う人がいる。ビジョンを実現するための手段が違うだけで、思いは同じなのだということがわかったとき、委員会が大きく動き始めました。

「原発はこんなに危ないものなのに、何で君はそれでも必要だと言うんだ」「まちの経済が危ないのに、どうしてお前は反対するんだ」と、本音の議論が少しずつできるようになっていきました。委員会後の懇親会で(毎回懇親会を設定してもらっていました。ノミュニケーションも大事なのです!)原発推進派の親分と原発反対派の親分が、お酒を酌み交わしながら、「自分は賛成であることは変わらないけど、なぜ君が反対するかはわかる」と話しているのを聞いて感動したことを覚えています。そうしてはじめて、「原発の賛成・反対を超えて、柏崎を子どもたちに誇れるまちにするために動いていこう」という気運が高まってきました。

委員会では、原発の賛成・反対を超えて話ができるようになってきました。明日の柏崎を考えるプロセスに、多くの市民に参加してもらうにはどうしたらよいか？　意見が違っても、立場が違っても、安心して話をしてもらうにはどうしたらいいか？　いろいろなアイディアを出し合い、議論しました。

そして、１年目の事業として、シンポジウムをやろう、しかも、通常なら東京から専門家を呼んで話をしてもらうことが多いが、まずは実行委員会の委員である自分たちが壇上に上がって、市民の前で、「違う意見を持っていても冷静に話せる」ところを見てもらおう、ということになりました。シンポジウムの目的は「議論ができる場を作っていく、その第一歩にすること」と決まりました。

２０１２年９月28日に、シンポジウム「柏崎のこれまで、そしてこれから」が開催されました。最初に市の職員から、原発誘致に至った背景や産業構造の変化などをデータに基づき、客観的に伝えてもらいました。そのあとは、実行委員会のメンバーを中心に市民が登壇して、自分の立場や考え、これからの柏崎に期待することなどを自分の言葉で語る、パネルディスカッションを行いました。

「自分はこの地元に住んでいてこう考える」「私はこう考える」――そのようすを多くの市民

に見てもらったのです。

柏崎の原発に関心を寄せる方は全国各地にいらっしゃいますが、この会は、来場者も市民に限りました。「市民の、市民による、市民のための話し合い」がしたかったからです。当日は400人もの市民が参加してくれました。「賛成派も反対派も一緒に議論することははじめてだ、良かった」「こんなに落ち着いて静かに話ができることがびっくりだった」といった感想が多く寄せられました。それから少しずつ、地域の中に、「原発について話してもいいのか」という空気が広がってきたのではないかと思います。

翌日は、「柏崎の未来をみんなで語ろう、考えよう――柏崎井戸端会議」を行いました。原発の賛否はひとまず脇に置いて、この柏崎をどういうまちにしたいのか、柏崎の未来のビジョンを作ろうというワークショップです。

このワークショップにも100人を超える市民が参加してくれました。最初に私から、「しなやかに強い、幸せなまちをつくるために」と題して少しお話をし、「対話と共創」の大切さと、「対話の作法」についてお伝えしました。

真の対話の作法

- いつもの考え方を「ダウンロード」するのではなく、「今・ここ」を大事にする
- 自分の信念や思い込みをいったん脇に置く
- 「耳を傾けること」≠「受け容れること」
- 「黙ること」≠「負けること」
- 割り切らない力が大事

☆あえて結論を急がないこと

「今日は井戸端会議ですから、目的はみんなで思いや考えを共有することです。グループで何か一つの結論を出す必要はありません。できるだけいろいろな思いや考えを出し合って、お互いの考えを知りましょう」と伝え、だれもが意見を言いやすいよう、最初は小グループで話し合いを始めます。

ウォーミングアップのお題は「私にとって柏崎の好きなところは？」。ここで、「お互いに否定しない」「問題点を指摘しない（問題点を話す時間ではなく、好きなところを話す時間とする）」「グループでできるだけ多く、いろいろな方面からの好きなところを出し合う」と繰り返し伝え、トーンを設定します。この作業を丁寧にやっておかないと、本題に入ったときにスム

ーズに話し合いが進まなくなってしまいます。

二つめのお題は、「柏崎が、こういうまちになったらいいな」です。「近い将来(1〜2年)なのか、少し遠い未来(5〜10年)のことなのか、遠い未来(20〜50年)のことなのかを区別して考えましょう」「対策や方法論の議論に入らない(「できる」「できない」の論点で話さないこと)」という注意を伝えて、小グループで話し合います。

最後のお題は、「そのために、自分は何をするか」。「他の人にしてほしいことを挙げてもよいが、それだけにならないように気をつける」「タラちゃんにならないこと!(「〜だったら」という話をしない)」と注意を伝えます。

この三つのお題を順番に小グループで考え、いろいろな意見をどんどん付箋に書いて貼っていきます。そのあと、グループを合わせて大きめのグループを作り、三つのお題ごとに内容を共有しました。そして、お互いに共通しているもの、大事にしたいもの、「なるほど」と思う付箋を集めて、A4のコピー用紙1枚に貼っていきます。

各グループがそのまとめを発表し、すべてのグループの思いや意見を全体で共有しました。

グループのメンバーの中には、原発については違う意見の人もいます。それでも一緒に「どんな柏崎であってほしいか」を出し合うことができます。原発についての意見は違っても、

「思いは一緒だったのだ」といううれしい発見があちこちであったのではないかと思います。

ワークショップが終わったあとも、あちこちで話し込んでいる参加者の姿が印象的でした。市の職員がカメラを抱えて走っていくのも見えました。「どうしたのですか？」とあとで尋ねたら、「犬猿の仲と言われていた、原発推進派と反対派の二人が、たまたま同じグループになっちゃったのですが、ワークショップが終わったあとも、椅子に座り込んでずっと話していたんです！　この奇跡の瞬間を撮っておかなくてはと、つい走っちゃいました」。

この「明日の柏崎づくり事業」は2年目には、関心を持つ市民を増やしたいと、池上彰さんに来ていただいてシンポジウムを開き、１０００人を超える市民の参加を得たり、町内会や大学など、委員会が「出前」をして意見交換にうかがうなど、活動を広げることに力を入れました。

最終年度の3年目には、「原発があってもなくても、柏崎に新しい産業を作っていきたいね」という思いで、委員会の活動を続けました。「生き残りをかけて——柏崎の産業のこれから」というシンポジウムを開催し、どのような新しい産業の可能性があるか、「再生可能エネルギー」「農業」「コミュニティ開発」「ものづくり」という四つの分野で、各地で成果を上げている実践者をお呼びして勉強会を行い、具体的な構想につなげていきました。

かつての柏崎では、再エネの可能性について議論することすら許されていませんでした。原発賛成派が再エネの可能性について言及すると、「おまえは脱原発か」となじられるという状況だったのです。それが、「ありたいまちの姿」のビジョンを共有したこともあったのだと思いますが、少しずつ変わってきて、原発の賛否についてはいったん置いて、再エネについても考えてみようという勉強会が行われているようすに胸が熱くなりました。

また、地域の事業者たちが地域の未来を見据えて取り組んでいこう、という「明るい柏崎計画＝ＡＫＫ」も始まりました。ＡＫＫの竹内一公代表は、「明日の柏崎づくり事業」実行委員会のメンバーで原発推進派の一人でした。ＡＫＫを立ち上げた２０１２年当時は、原発推進派の中では原発以外の産業を考えてみることすらご法度のような雰囲気だったといいます。

異業種からなる事業者約10人のメンバーは、柏崎市の抱える様々な問題に対して地元の青年経済人として真っ向から挑戦する意思を持った有志で、その多くは30～40代の経営者です。「市を創生させるためのきっかけを、具体的な成果をもって創り出したい」と、メンバーで地域や産業の問題をたくさん出し合う中、柏崎市の防災行政無線システムが２０２０年までに一新されるという情報を入手。今までは大手企業が受注してきたこの事業を、ＡＫＫ中心の地元企業連合で受注できないか、と動き出しました。「地域の、地域のための、地域による産業」

というこの最先端の取り組みは、残念ながら受注に至りませんでしたが、ＡＫＫはこのプロジェクトをきっかけに、エネルギーやその他のテーマにも取り組んでいます。「原発に頼るしかない」から「地域の力で地域に必要なものを作っていく」という柏崎の新たな挑戦です。

柏崎市は２０１８年に「柏崎市地域エネルギービジョン」を策定しました。「10年後の地域の将来をイメージしながら、次世代エネルギーの普及促進や、環境エネルギー産業の育成・発展につながる指針」とするものです。

> これまで柏崎市は、「石油産業のまち」（1・0）、「原子力産業のまち」（2・0）として発展し、我が国の産業の発展や首都圏の電力需要を支えるなど、国のエネルギー政策に大きく貢献してきました。これからは地球環境にやさしく持続可能な社会で、将来世代も豊かな生活を送ることができるよう、脱炭素社会である「エネルギーのまち柏崎3・0」を将来像として目指していきます。
>
> 将来像である「エネルギーのまち柏崎3・0」への途上として、「再生可能エネルギーと原子力のまち」（2・5）を進めることにより、一人一人が生活の利便性を損なわず、エネルギーを効率的に使い、持続可能で豊かな生活を送る「スマート市民のまち」、全て

の市民や事業者が柏崎の地域エネルギーを最大限に活用し、環境エネルギー関連産業が発展・高度化している「ALL柏崎でつくる新たなエネルギーのまち」への道筋をつけ、「エネルギーのまち柏崎3・0」の実現を目指すこととします。

このビジョンの目標やプロジェクトイメージを見ると、再生可能エネルギーや地産地消エネルギーの活用促進などが前面に位置づけられており、原発に関する記述はほとんどありません。原発の賛否を超えた新しい柏崎の動きが始まっていることを感じます。みんなで「ありたい姿」を考える――「共有ビジョン」の威力を示してくれる一例だと思うのです。

プロセスから生まれる希望

このように共有ビジョンを描き、まちの現在の構造と望ましい構造を分析し、構造に働きかけるためのプロジェクトを作り、進捗を測るための指標を考える――このプロセスから、まちづくりのチームが生まれ、仲間、サポーター、理解者が増えていきます。過去から続く敵対や分断を乗り越えていくことができます。わがまちの「あるもの探し」をすることで、自分たちの力になるものを見つけ、地元経済を強くしたり、産業を創り出すプロジェクトを進めることができます。

そして、このようなプロセスから生まれる最も大事なものが「希望」です。「このままではまちはだめになってしまうのではないか」「どんどん人口も減って、このままで大丈夫なのだろうか」と、不安になったり希望を失ってしまいがちです。その中でも、「こういうまちにしたいよね」とみんなで考えていくことで、心を合わせることができる。そして、ビジョンに向けて「動けば動いただけ変えられるのだ」という実感をはぐくむことができます。これこそが「希望の泉」です。厳しい状況でもこんこんと湧き出す希望の泉を創ることこそ、まちづくりの最も大事な鍵だと思うのです。

終章　まちの持続可能性と幸福度を考える

レジリエンスを高める

「グローバル化した世界では、どんな地域も相互依存の網の目の中にありますから、地球の反対側であっても、どこかで何かが起こったら、その影響は相互依存のつながりをたどって伝播し、備えをしていない地域に大きな打撃を与えることも考えられます。そういった事態を回避することができないとしたら、地域はどのような「備え」をしておくべきなのでしょうか」。これは、数年前に出版した『レジリエンスとは何か――何があっても折れないこころ、暮らし、地域、社会をつくる』（東洋経済新報社）に書いた文章です。

レジリエンスとは、「外的な衝撃にも、ぽきっと折れてしまわず、しなやかに立ち直る強さ」のことです。いつ何が起こるかわからないという、不確実で不安定な時代を生きていくためには、個人にとっても組織や地域、社会にとっても、レジリエンスが大事です。

しばらく前から、世界では生態系や心理学の分野をはじめ、教育、子育て、防災、地域づくり、温暖化対策など、様々な分野で「レジリエンス」の重要性が注目され、「レジリエンス向上」のための取り組みが展開されるようになってきました。しかし、私たちの暮らしや地域、社会のレジリエンスは強まるどころか、弱まってきているように思えます。

レジリエンスの観点で最も恐ろしいのが「衰退ループ」です。これは、何らかの理由で潜在的な回復力そのものが弱まっているところに、外部からの衝撃がやってくると、衝撃に耐えることができず、ますます回復力(レジリエンス)を失っていくという悪循環のこと。この衰退ループにスイッチが入ってしまうと、加速度的に弱化し、最終的には立ち直れずに衰退してしまうという恐ろしい状況を生み出します。今回のコロナ危機は、私たちが気づかないうちに様々な「衰退ループ」に入っていたことをあぶり出したと言えるでしょう。

コロナ危機で明らかになった衰退ループの一つは、「多様性の低下」だと思っています。これまで、目先の効率を優先するあまり、多様性をどんどんそぎ落としてきました。効率を上げるためには、「多様性は減らしたほうがよい」からです。例えば、ホテルも様々なお客さんに対応するよりも、インバウンドだったらインバウンドに特化したほうが効率的です。農家も1種類の換金作物に特化したほうが、効率的に利益が得られます。こうして、平時には効率的で利潤の大きなやり方が定着します。

しかし、こういった「短期的には効率的であっても多様性を失ったやり方」は、今回のように「何かが起こった」ときには脆弱です。椅子にたとえるとわかりやすいでしょう。椅子は3

本の脚があれば成り立ちますが、3本脚の椅子は脚が1本折れると倒れてしまいます。でも、椅子の脚が4本、5本、6本とたくさんあれば、1本か2本グラグラしても倒れることはありません。他方、椅子の脚が多ければ多いほど、平時には、むだが多く非効率的だと見られます。そうして、平時には、椅子の脚をどんどん減らしてしまうのです。

これからのまちづくりを考える上で、「短期的な効率」だけでなく、「中長期的なレジリエンス」もしっかり考え、両者のバランスのとれたまちにしていく必要があります。なぜなら、地域に対する衝撃は、今回のコロナ危機で最後ではないからです。今回明らかになった衰退ループに「喉元を過ぎたから」と目をつぶってしまうと、ますます衰退していき、次の衝撃はもっと厳しいものになってしまうでしょう。

今回のコロナ危機は新たな難題を地域や社会に突きつけています。リーマンショックや東日本大震災も、日本社会や地域をゆるがす大きな衝撃でした。しかしそれらは、ある一瞬の衝撃が加えられ、そこから復興・回復期が数年かそれ以上にわたって続くという性質のものでした。

それに対して、今回のコロナ危機は、危機自体が一瞬で終わるものではなく、数カ月も、場合によっては数年も続きます。その間に、短期的な危機だったら持ちこたえられた組織や地域、社会も回復力を損なわれ、衰退ループが回り始め、その後の復興や回復をより困難なものにしてしまいます。しかも、このような感染症の世界的な蔓延(パンデミック)は今後も繰り返し生じると考えられています。私たちはどのように備えればよいのでしょうか？

『レジリエンスとは何か』でも紹介した、キューバのハリケーン災害へのレジリエンス強化の取り組みが一つの参考になりそうです。キューバはハリケーンに頻繁に襲われる国ですが、「2002年9月に襲来したイシドレとリリは、1万8000戸の家屋を破壊。沿岸の漁村は高波に呑まれ、内陸の村々も洪水で孤立し、学校や病院、水道や電気等のインフラも破壊され、農畜産物でも甚大な被害が出たにもかかわらず、両ハリケーンによる死者は1人、負傷者は皆無でした。そして、1カ月もかからずに、水道や電気、電話は完全復旧しています。2004年に襲来したイワンは、最大級のカテゴリー5の大型ハリケーンで、米国では52人、カリブ海では70人以上が命を落としましたが、キューバでの死傷者はゼロでした」。

以前より威力も頻度も増しているハリケーンにも、ほとんど死傷者も出さず、信じられないほどのスピードで復旧するキューバには、私たちが学ぶべきことがたくさんあります。

キューバでは、非常時計画がいきわたっており、高度な予測と情報伝達のしくみがあり、いつでも一人残らず避難できる態勢ができています。安心して避難できるための支援と細やかな配慮がなされており、避難所でも手厚い対応が行われるようになっています。

また、毎年ハリケーン・シーズンがやってくるまえに、各地域で2日間の防災訓練が行われます。小学校から防災の授業があり、子どもたちは幼いうちから、災害時の対応方法について学んでいます。日常的に防災教育を行っているため、「何を準備し、何をやるのかをどの子どもも説明できます」。ハリケーン・シーズンが終わると、その1年を振り返り、何が機能し、何が機能しなかったのかをチェックし、改善をはかります。そして、いったん被災したら、迅速に、また二度と被災しないように復旧がなされるのです。

今回のような感染症の危機がハリケーンのように頻繁に来てもらっては困りますが、万一の場合には、どうやってソーシャル・ディスタンシングを行えばよいか、何に気をつけるべきなのか、どういう行動は良くて、何はいけないのか、学校に登校できない間はどうやって学習を続ければよいのか(大人の場合は、どうやって仕事を続ければよいのか)など、平時から「防災教育」と「防災訓練」をしておくことで、次なるパンデミックにも対応力が高い状態で臨めるでしょう。

それと同時に、これも『レジリエンスとは何か』に書いたように、それぞれの地域が、「食料が輸入できなくなったら?」「エネルギーの輸入が難しくなってきたら?」「輸入や長距離輸送のコストが増大していったら?」「円が使えなくなったら?」「雇用が消えていくとしたら？」という、今後想定される状況に対する想像力をたくましくして考えておく必要があります。その状況がやってきてから対応を考えるのではなく、家庭と地域の「自給力」を高めるなどの取り組みを平時から進める必要があります。特に食料とエネルギー、雇用とお金については必須です。

そして、危機が去って平時に戻ると、レジリエンスの重要性は忘れられ、また短期的な効率を優先しがちになります。そうならないために、「自分たちのまちのレジリエンス指標」を作っておくとよいでしょう。自分たちにとってのレジリエンスをどう定義するかをみんなでしっかり考えて、その進捗を測る指標を作っておくのです。そうすれば、短期的なお金に関する指標だけを最大化しようとするのではなく、「効率は少し落ちるけど、レジリエンスもある程度確保できるこの線でいこうね」というような判断ができるようになります。危機の直後はみんな痛い思いをしているので考えるのですが、数年経つと、またレジリエンスを考えに入れない地域に後戻りしがちです。そうならないように、歯止めを掛けておくことです。

『レジリエンスとは何か』で紹介しているトランジション・イニシアティブの「地域のレジリエンス指標」には、「食料自給率」「エネルギー自給率」「生活必需品の地元生産率」「地域住民がその地域で雇用されている割合」などが挙げられています。つまり、いろいろな意味で、自分たちの足で立てる地域になっているかどうかがレジリエンスを左右するのです。

リ・ローカリゼーションのまちづくり

こういったニーズを受けて、世界のあちこちで「リ・ローカリゼーション」の取り組みが広がっています。リ・ローカリゼーションとは、「ふたたびローカルへ」という意味で、それぞれの地域が自分たちのたづなを取り戻そう、という動きです。経済面で言えば、グローバル経済への依存度を減らし、その分、地域の地域による地域のための生産・消費を増やそう、それによって、地域経済の自立度を高めようという取り組みです。

世界や日本のどこかで、今回のコロナ危機のような「何か」が起こる可能性はつねにあります。今回のコロナ危機では、人の移動ができなくなりましたが、危機によっては、食料やモノ、エネルギー、お金などの流れが途絶する可能性もあります。そうしたとき、それでもしっかり持ちこたえることのできるまちにしておくことは、まちの持続可能性とまちの人々の幸福度に直結します。

前述したように、まずは基本的な食料や水、エネルギーなどを、ある程度、自分たちでまかなえるようにしておくことです。また、中長期的な時間軸で考えるなら、それ以外の生活に必要な物資や、地元の企業が操業を続けるために必要な物資も、ある程度は自分たちの地域でまかなえる必要があります。

消費者も、「値段ばかりを気にして買い物をしていたけど、気がついたら、地元のお店が残っていない！」という状況になって、危機時に困らないように、ふだんから地元のお店を買い支えることも、大事なまちづくりの取り組みとなるでしょう。

そして、モノだけではなく、生産や雇用の「地消地産率」を増やしていくことも重要になってきます。なぜなら、今回のコロナ危機のような「何か」が起こって人やモノが流通しづらくなった場合、域外に雇用や売上を依存している地域ほど、打撃が大きくなってしまうからです。域内で地域の人々の雇用や生産・消費がまかなえる割合を高めておくことも、レジリエンスと安心感を高めるまちづくりにつながります。

リ・ローカリゼーションの取り組みは、「お金」にも及びます。地域通貨の導入の他、地元の事業のために地元の出資を集めるしくみもあります。生産者が安心して生産でき、生活者も安心して買い物ができる。それを支える資金もその多くは地元のお金だ――そうなったとき、外部の事情や動向に左右されることなく、地元経済を回し続けることができるまちになっているのでしょう。

「人口減少問題」への取り組み

各地で「まちづくりの課題は何ですか？」と聞くと、多くのまちでみんな口をそろえて「人口減少です」と言います。たしかに「人口減少」はわが国の大きな課題だとされていて、国のレベルでもいろいろな取り組みが行われています。

しかし、「人口減少が問題」と聞くたびに、人口が減少することが問題なのか、それとも、人口減少にあわせたまちづくりができていないことが問題なのか、と思うのです。

また、「日本全体としての人口減少問題」と、「わがまちの人口減少問題」は、重なっているところはあれど、同じではありません。地方創生のお手伝いをさせていただく中で、「日本全体としての人口減少」がそのまま、自分たちのまちの課題になる、と考えるのではなく、「うちの地域にとってどうなの？　わがまちはどうしたいの？　どうしたらいいの？」と考えることが大事だと思っています。

そのため、人口や人口減少について、自分たちの地域に引きつけて、より具体的に知り、考え、議論していくために、「人口予測・シミュレーション」をもとにした「人口ワークショップ」の取り組みを進めています。下川町での例を通して、どのようなものかを示します。図19

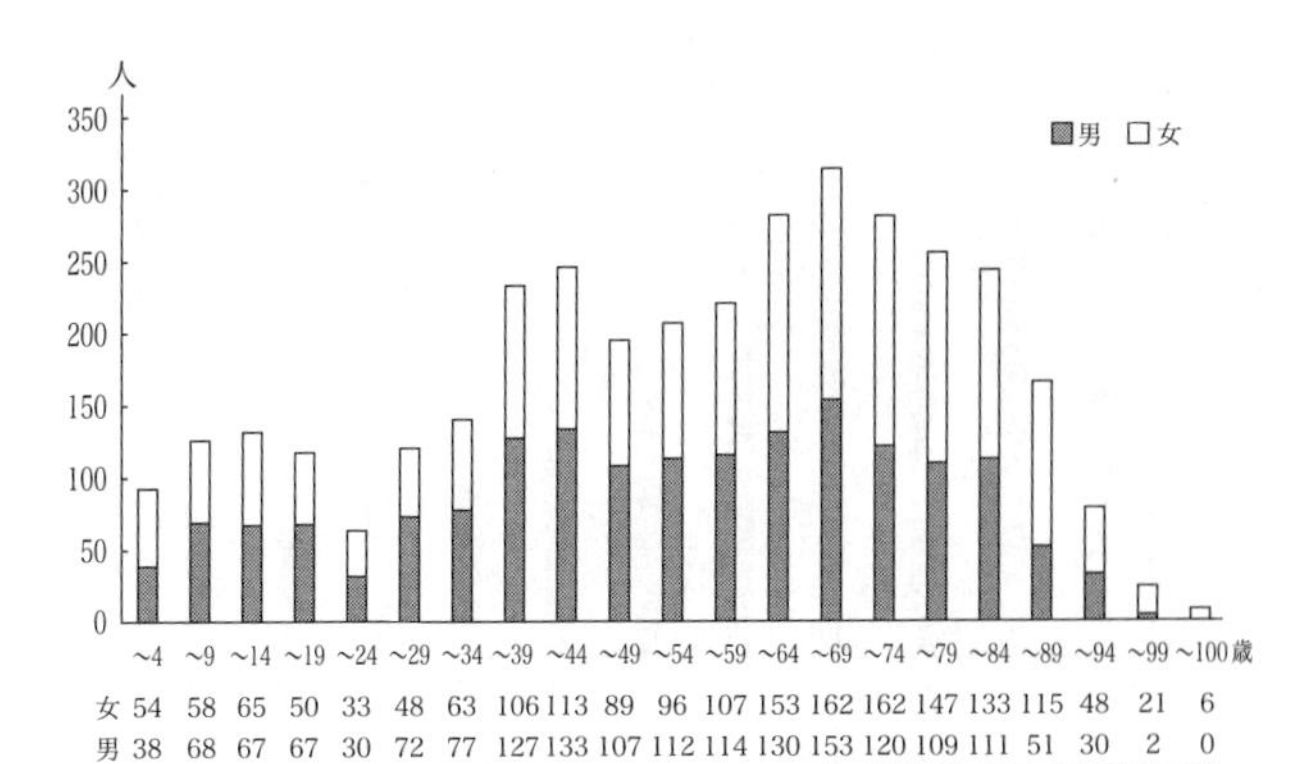

図 19　下川町の 2015 年時点における 5 歳階級別人口構成

は、２０１５年の国勢調査の結果をグラフにしたものです。

次に、図20に１９９０〜２０１０年までの20年間の人口データを用い、その20年間の趨勢が続くとした場合の２０６０年時点での人口および高齢化率を示します。図21はそのときの小・中学生の数の予測です。

次に、１９９５〜２０１５年までの20年間の人口データを用い、その20年間の趨勢が続くとした場合の２０６０年時点での人口および高齢化率（図22）、および小・中学生の数の予測（図23）を示します。

こうして、２０１０年までのデータか、２０１５年までのデータかによって、人口、高齢化率、小・中学生の数にけっこうな違いがあることがわかります。下川町は、２０１０年から２０１５年の５年間に、起業や移住の支援などに力を入れてきました。２０１５年

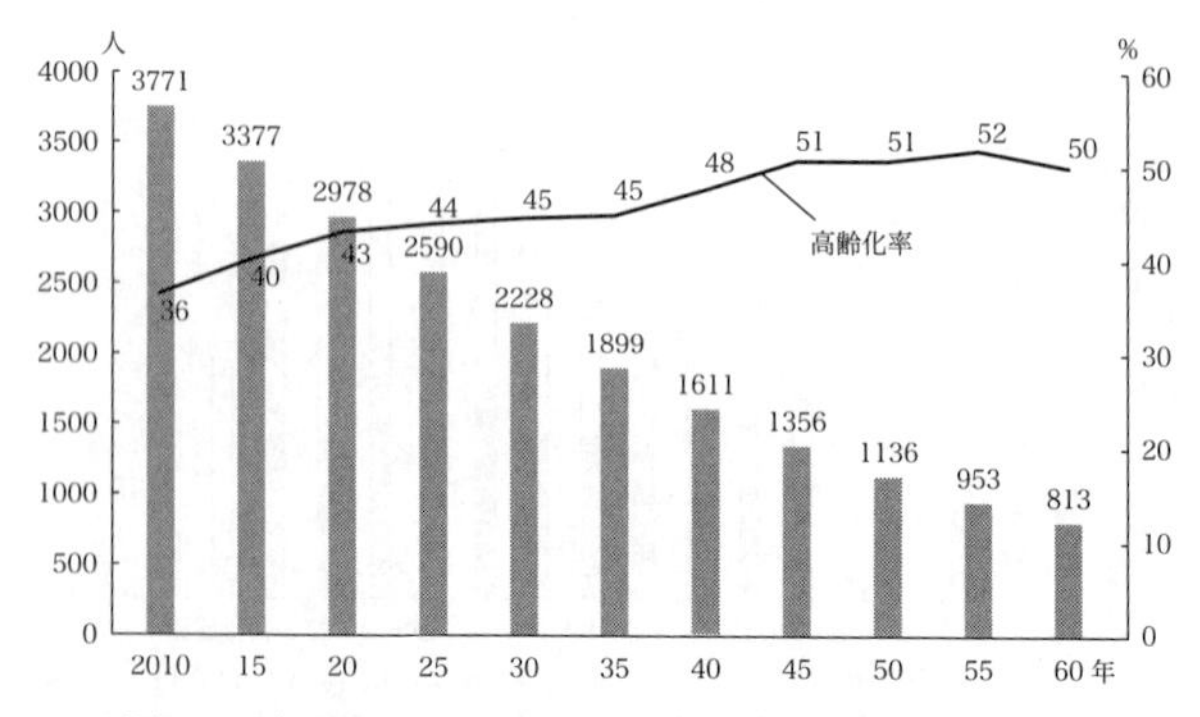

図 20　下川町の 1990 年から 2010 年までの人口データを使用した場合の 2060 年までの人口・高齢化率予測

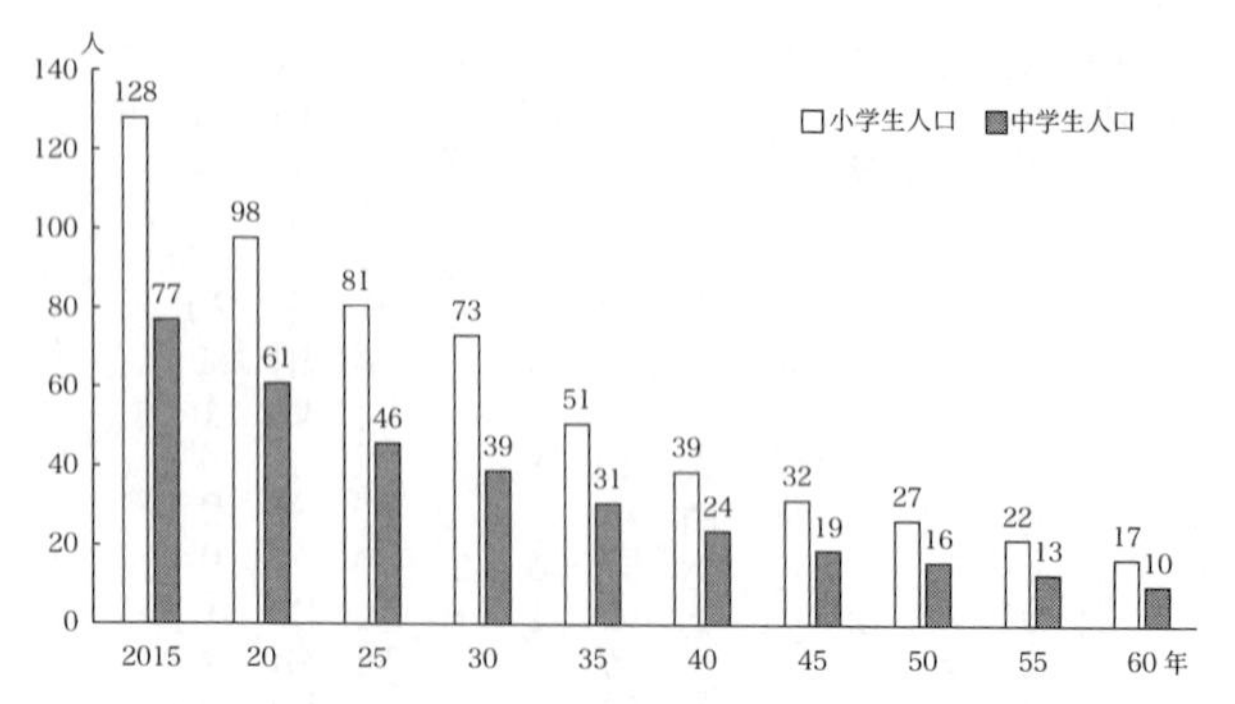

図 21　下川町の 1990 年から 2010 年までの人口データを使用した場合の 2060 年までの小・中学生の人口予測

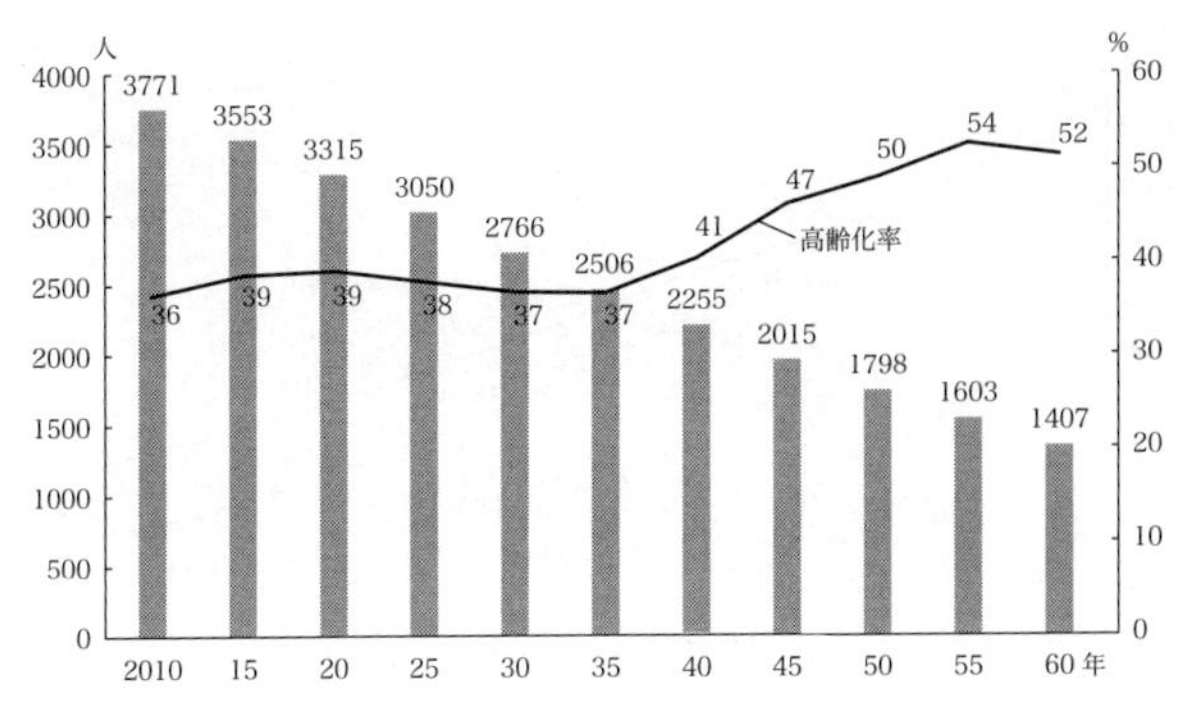

図 22　下川町の 1995 年から 2015 年までの人口データを使用した場合の 2060 年までの人口・高齢化率予測

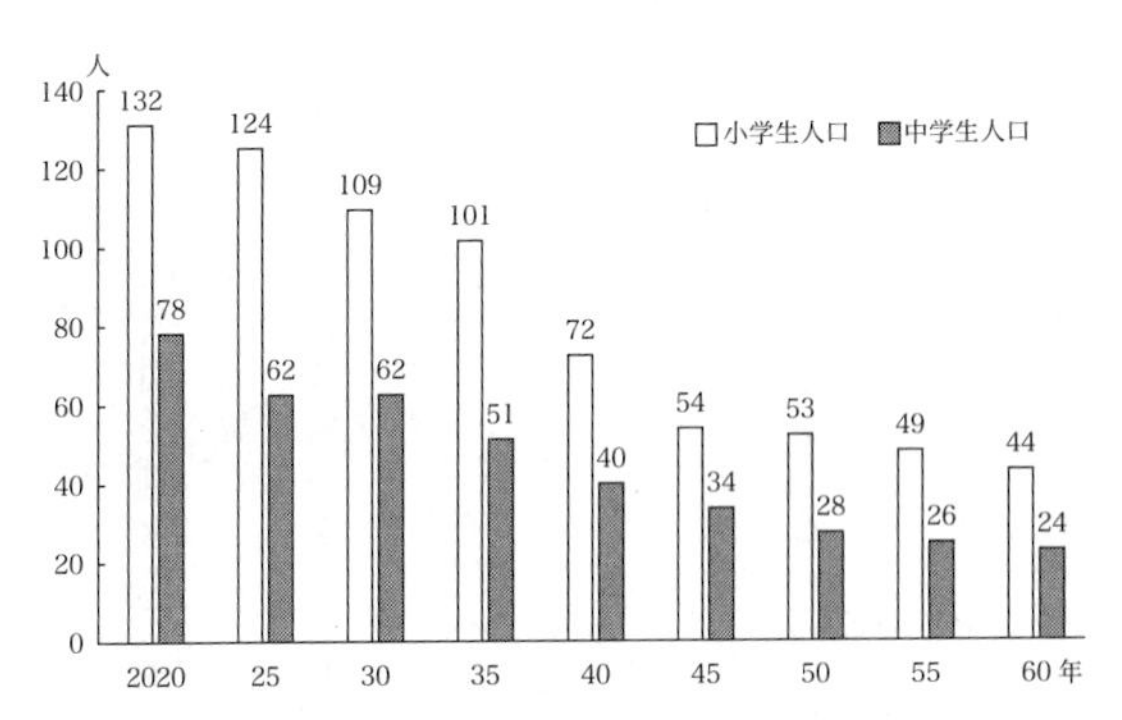

図 23　下川町の 1995 年から 2015 年までの人口データを使用した場合の 2060 年までの小・中学生の人口予測

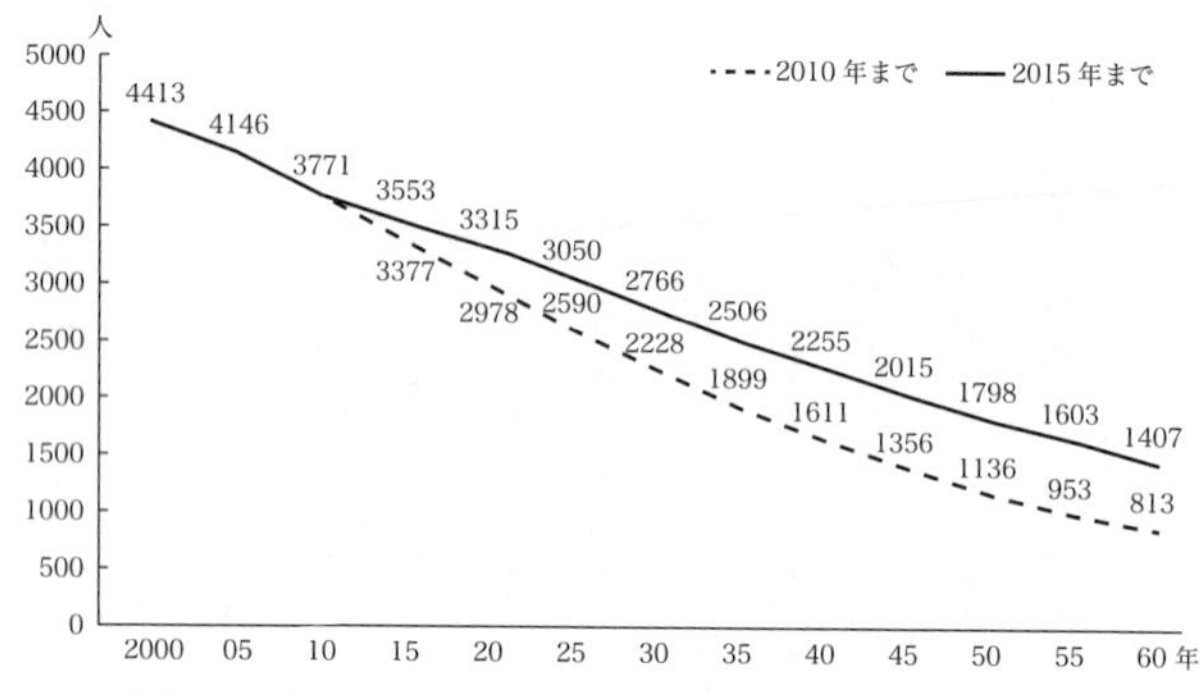

図24　下川町の1990年から2010年時点での人口予測と，1995年から2015年時点での人口予測比較

までのデータを使うと、その5年間の頑張りが反映されるので、より明るい見通しとなります。

この二つの人口予測を重ねたものが図24です。どちらの場合でも人口は減少しますが、２０１５年までのデータを用いたときのほうが、これだけ減少が緩やかであることがわかります。

このように人口データを分析・比較することで、近年の人口政策（移住促進、子育て環境の整備など）の効果を見える化することができます。下川町の場合は、実線が破線の上、つまり、２０１５年までのデータを用いた場合のほうが見通しが明るいのですが、逆に実線が下になっている、つまり、２０１０年までよりも、２０１５年までのデータが暗い見通しを示しているという自治体も少なくありません。かけ声や施策・プロジェクトの設定だけでなく、それが果たして効果に結びついているかを客観的に調べることが重要です。

このような入り口から、さらに施策と効果のつながりを具体的に分析し、「何が効いて、何が効いていないのか」を知ることで、より効果的な対策を打つことができるでしょう。

また、人口を考える上では、「数」だけでなく、「バランス」も重要になってきます。まちの人口ピラミッドの予測を示すことで、「なりゆきシナリオ」の場合の課題を考え、必要な手を打つことができるようになります。例として、下川町の２０１５年時点でのデータを用いた場合の２０３５年、２０６０年の人口ピラミッド予測を示します(図25～27)。

さらに、「自分たちはどのくらいの人口規模を望んでいるか」を現実的に考えたのち、それを実現するために具体的に毎年何人、何組ずつの移住者がいればよいのか、をシミュレーションすることもできます。例えば、「本当は今の人口規模を維持したいけれど、それは難しいだろうから、現在の人口の8割ぐらいで人口減少が抑えられれば、地域の店や行事・祭りも維持できそうだからよい」と考えたとしましょう。目指す姿は「２０１５年時点の人口から2割減程度」です。下川町を例にとれば、３５５３人×80%＝２８４２人となります。

下川町は近年、20～30代の若い年代の移住者が増えていますので、その施策をとり続けたとして、２０６０年時点でこの２８４２人程度を維持するために、必要な移住者数を計算するこ

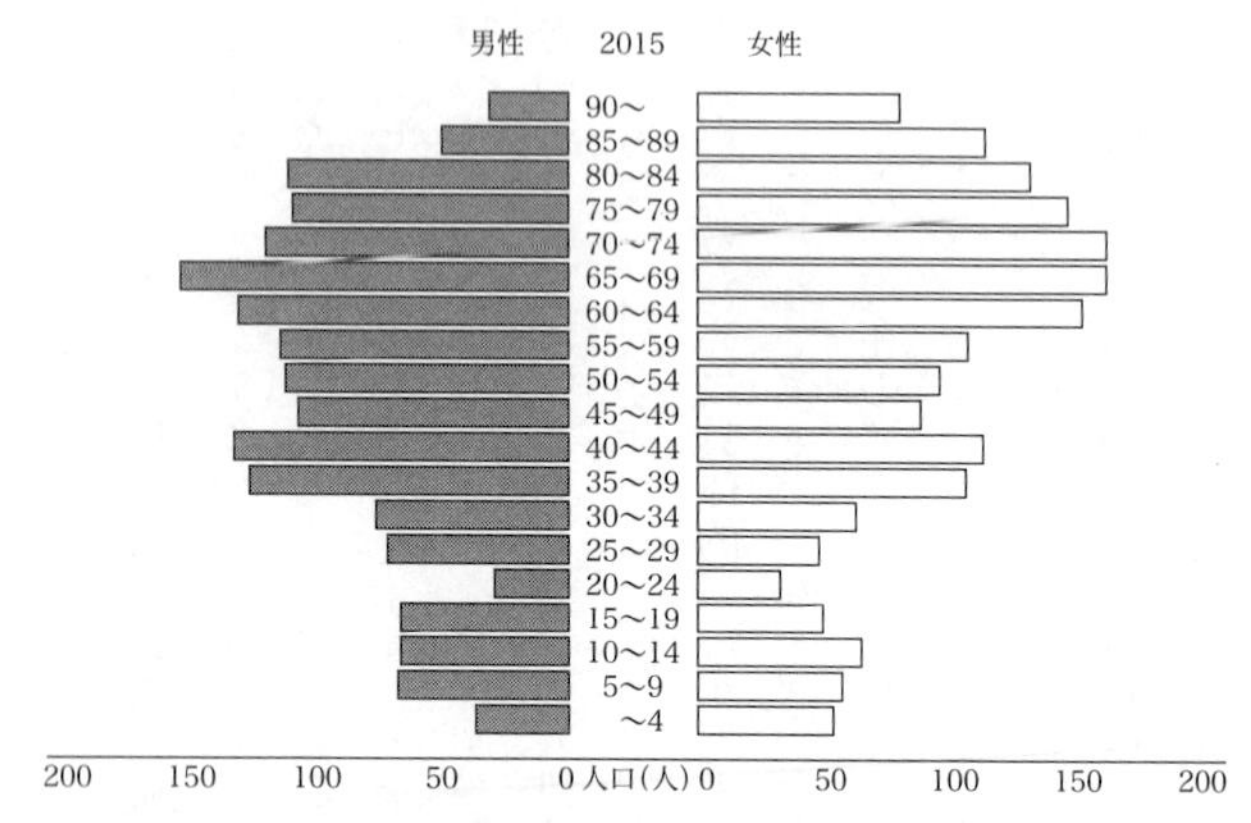

図 25　2015 年時点での人口データ(国勢調査)を使用した場合の下川町の人口ピラミッド

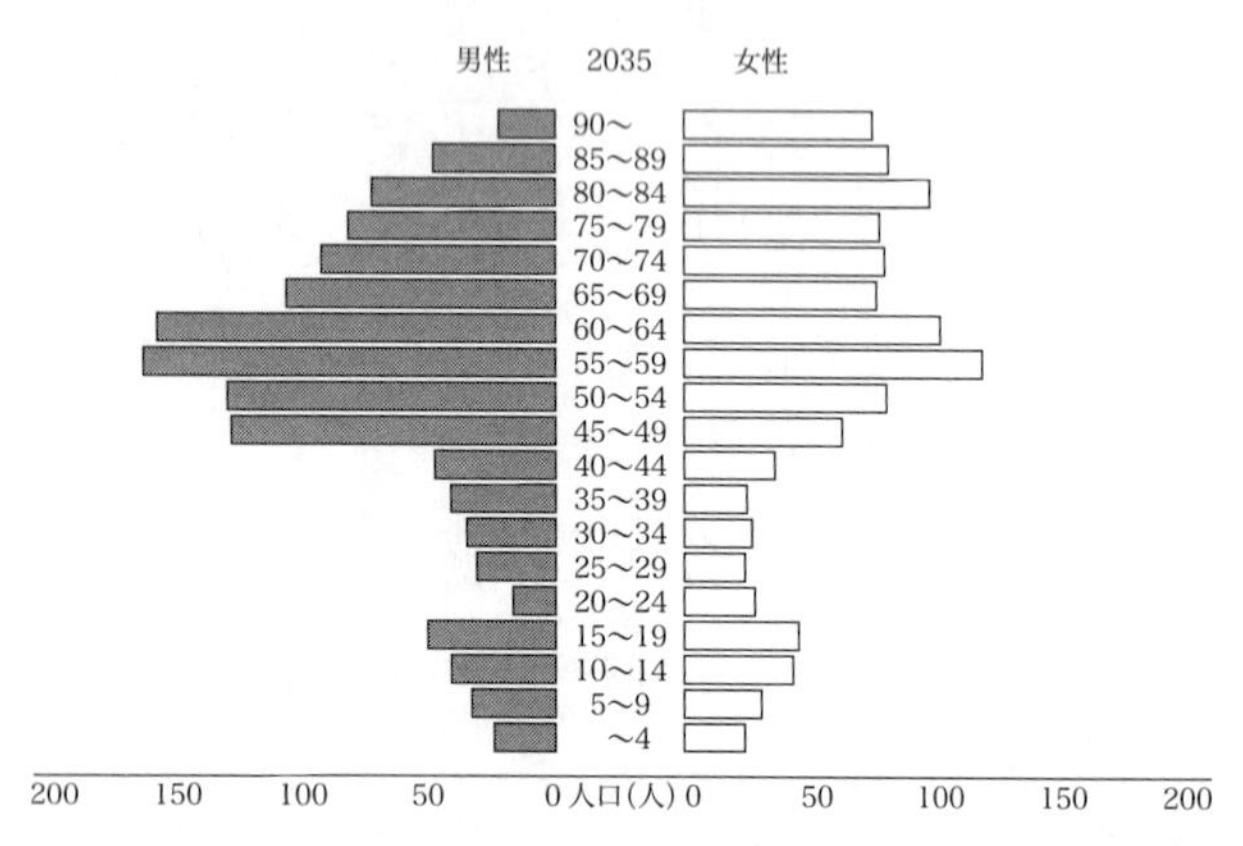

図 26　1995 年から 2015 年までの人口データを使用した場合の 2035 年時点における下川町の人口ピラミッド

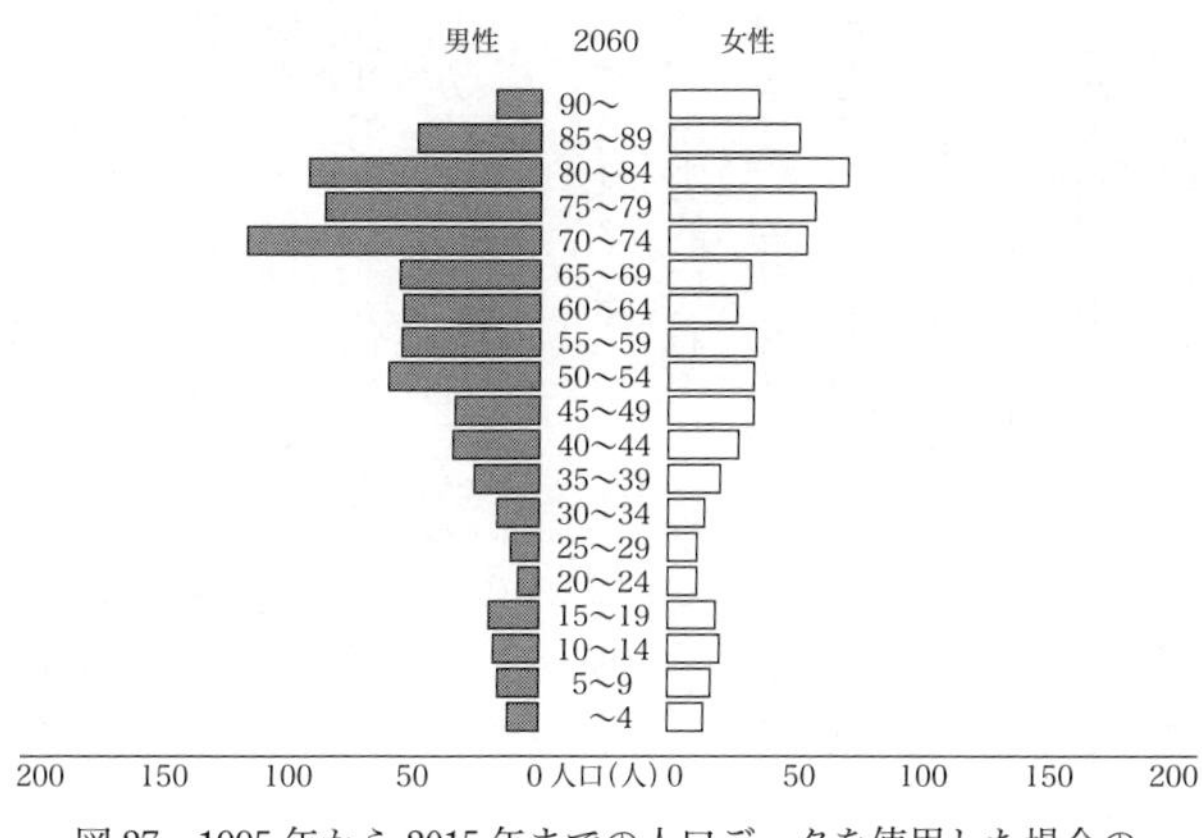

図27　1995年から2015年までの人口データを使用した場合の2060年時点における下川町の人口ピラミッド

とができます。例えば、一年に、20代後半の単身の男性10人、女性が8人、移住して定住したとすれば、「2割減で人口減少を抑える」ことが可能になります。何も手を打たなかった場合のなりゆきシナリオに比べて、２０６０年段階の人口は、約１４００人増加し、高齢化率は約20ポイント減少し、小学生の数は約3倍に増え、１１０人を超えます。もしこれが実現すれば、小学校の統廃合などは考えなくてもよさそうです。

年代ごとに、また単身・夫婦・子ども連れなどの場合ごとに、こういった数字を計算することができます。先ほどのシミュレーションは、「出生率は現状どおり」と仮定していますが、「下川町民の希望出生率が達成できた場合」など、前提をいろいろと変えて計算することもできます。

そうして、「毎年○人、○組の移住・定住があれば、自分たちの望む人口規模が維持できる」ということがわかれば、具体的な話し合いができます。例えば、毎年10組ずつだとしたら、「10組分の住む場所はどうする？」「空き家はいっぱいあるのだから、年に10軒ずつ、空き家改修をしていけばいいね」「各集落で毎年1組ずつ引き受けることにすれば足りるね」「10組が定住するには、仕事がなくちゃいけないけど、どうしたらよい？」「まちのお店や企業には働き口がどのくらいあるかな？」「まちにはパン屋さんがないから、パン屋さんをやりたい人に来てもらおう！ 他にそういうお店や仕事はないかな？」などと考えていけます。

こうすることで、「人口減少」という言葉やイメージに力ややる気を失ってしまうのではなく、現実的に着実に、少しでも「ありたい姿」に近づけていくための働きかけや取り組みができます。希望を失ったらそこで止まってしまいますが、具体的に考え、行動していけることがまちの人々にも力を与えてくれます。

「人口」はある意味、非常にわかりやすい指標です。言うまでもなく、「人口」という箱に、「入るもの」と「出るもの」の差から、人口は増えたり減ったりします。「入るもの」は出生数と転入数、「出るもの」は死亡数と転出数です。死亡数を減らすのは難しいですが、残りの三つへの働きかけをそれぞれ考えることができるでしょう。

多くの地方の市町村には大学はないので、大学進学や就職で出て行く子どもがたくさんいます。しかし、「いったんまちを出て、外で活躍して、いずれ大きくなって戻ってこいよ」という教育や働きかけをしている地域も増えています。そういった取り組みを含めたまちづくりが大事です。

人口減少をどう抑えるかだけでなく、「減少する人口にあわせたまちづくり」へのシフトも重要です。

多くの地域が、これまでどおりが続くだろうとの想定でのまちづくりをしています。まちの財政の見通しもきちんと見た上で、特にインフラ面、例えば、町営住宅の新築や維持・売却、水道などライフラインのメンテナンス、学校の建て替えや給食センターの改築、高齢者用の施設の拡充などを計画していく必要があります。こういった計画を現在の人口規模を念頭に行うと、将来的にはむだが多くなったり、負担が大きくなったりします。

このように考えると、「人口」は行政のあらゆる部門が関わる横串課題であることがわかります。政策担当課だけでなく、住民課はもちろんのこと、建設や水道、教育、産業、エネルギーなど、どの担当部署の計画にも「今後の人口減少をどう織り込むか」が大事になってくるからです。

しかし、多くの自治体には、人口に統合・戦略的に取り組む部署がありません。総務部やまちづくり課が一部担当していたりすることが多いのですが、その部門を超えて、行政全体に横串を刺して、総合的な取り組みを進めていくエンジンになるような部門が必要です。そこが中心となって、住宅や産業、教育などの担当部署と一緒に考えていかなくてはなりません。また、行政職員だけではなく、議員や住民とも、「自分たちはどのようにこのまちを、今後の人口を考えていく必要があるのか」「どこは我慢すべきか、どこは守るべきか」といった議論をする必要があります。

こういったことを、1回の議論では結論を出すことは不可能ですから、継続的に考えていくプロセスと場が必要です。人口減少と自分たちのまちについて、現実的に考える必要がありま す。「どうしてよいかわからないから」「見たくないから」と目をつぶっていても、課題や問題が消えるわけではありません。現実的に考えることは、あきらめることではありません。人口予測とシミュレーションをもとに、「人口減少をどの程度、どうやって抑えるか」「それでも減少する人口にあわせたまちづくりをどうやって進めるか」の二つの取り組みを、住民や議員とともに考え、官民一体となって進めていく必要があります。

地域経営力を高める

今、地域、特に自治体に問われているのは、「地域経営力」です。「地域経営力」とは、企業経営者が企業を経営するように、地域の人々が自分たちの地域を「経営」していくために必要な能力です。

「企業の経営というのはわかるけど、地域や自治体も経営？」と思うかもしれません。デジタル大辞泉で「経営」を引くと、「事業目的を達成するために、継続的・計画的に意思決定を行って実行に移し、事業を管理・遂行すること」とあります。自治体も、それぞれ自分たちの目的に向かって、意思決定を行い、実行・管理しながら、事業を遂行していきますよね？　つまり、「経営」であるはずです。

「これまでどおり」が続いていた時代は、「これまでと同じことをこなす」ことができれば大きな問題はなく、自分たちの目的を確認したり、意思決定をしたり、達成のための管理をしたりすることは、特に必要がなかったかもしれません。つまり、「地域経営力」を意識する必要はなかったかもしれません。

しかし、これだけ変化が激しく、先行きが不透明で、足元では人口減少と高齢化が進み、気候変動をはじめ環境の大きな変化や社会的な難題が押し寄せてくるこの時代を生きていくためには、規模の大小を問わず、どんな地域・自治体にも「地域経営力」は必須の力となります。

地域経営力を具体的に挙げれば、①将来を見据える力、②考える力、③議論する力、④変化を創り出す力、⑤伝える力、⑥つながる・つなげる力、などです。このような力は、座学ではぐくむことはできません。実際に自分で考え、まわりとも議論し、プロジェクトを作って、住民の間に入り込んで、様々に揉まれて苦労する中でしか、身につかないでしょう。

私はいくつかの自治体で、まちづくりのお手伝いの一環として職員研修も行っています。上勝町での若手職員向けの研修では、SDGsの基本的な枠組みを学んだあと、それぞれの業務や問題意識から、プロジェクトを考え、相互にフィードバックしながら、企画案を練り上げます。最終回で、町長・副町長の前でマイプロジェクトを発表しますが、発表して終わりではなく、その後、実際にプロジェクトを進めていくサポートもします。そこでこそ、地域経営力を鍛えることができるからです。

各地を見ていて、地域経営力の差が明らかになりつつあります。地域経営力があるところは、長期的な方向性をしっかり持って、状況の変化にあわせて敏捷に動くことができます。

地域経営力のないところは、足元の人口や産業の状況の変化、グローバル化のつきつける様々な外部環境の変化などにもかかわらず、硬直化した考え方を変えることができず、または、思考停止状態に陥ったままで、相変わらず「これまでどおり」を続けるしかなく、ますます墓穴を大きくしています。こういった地域に住む住民は、将来的に幸せではなくなるでしょう。

みなさんの自治体・地域には、こういった「地域経営力」を身につけた行政職員や地域のリーダーがどのくらいいますか？

最悪の組み合わせ

「地域」を「経営」するのは、首長や行政職員だけではありません。議員や住民も共同経営者です。そう考えたとき、私が「最悪の組み合わせ」と呼んでいる組み合わせがありえます。①次の選挙に当選することしか考えていない首長・議員、②短期的な自己利益しか考えていない住民、③これまでどおりをやっているだけの行政職員、この組み合わせです。

この最悪の組み合わせが生じている地域では、だれも長期的なことを考えておらず、目先の自分の利益を基準に、何をやるかやらないかを決めてしまいます。三つ巴の足の引っ張り合いが常態化し、望ましい方向への「変化の連鎖」の最初のとっかかりを創り出すこともできません。時代の変化に合わせて自分たちを変えていくことができず、ゆるやかに衰退の一途をたどることになります。

地方では特に、地域での力関係やバランスが重視されることが多く、「本当に何をすべきか」よりも、「あいつが目立つのは気に食わない」「あいつに花を持たせる結果になるなら、やらせない」といった理由で、大事なプロジェクトが止まったりすることも少なくありません。「狭い町内で分断している場合じゃないんだけどなあ」と思います。よく「もし宇宙人が攻めてきたら、今は争っている国々も含めて世界中のどの国も、地球を守るために一致団結するだろう」と言いますよね。「共通の敵」が明らかなら、小さな違いやわだかまりやメンツを超えて、力を合わせることができるはずです。

「このままのなりゆきの未来」と「ありたい未来」とのギャップや、今後大きくなってくる課題などは、地域にとって十分な「共通の敵」ではないでしょうか? 意思決定の時間軸を延ばすためにも、未来のための判断をするためにも、年少者も含めて、「このままのなりゆきの未来」と「ありたい未来」、今後大きくなってくるであろう課題などをしっかり話し合い、「最悪の組み合わせ」を「最強の組み合わせ」に変えていかなくてはなりません。

自分たちのまちの現状や今後について議論するときには、「データをもとに議論する」くせをつけるとよいでしょう。「こうなりそうな気がする」「いや、そんなことはない」とイメージや感覚で話していても、埒があきません。感情的なしこりが残るばかりで、建設的な結論には達しません。

最近は政府も、「エビデンス・ベースト・ポリシー・メイキング（EBPM）」、「証拠に基づく政策立案」が大事だと言っています。内閣府の説明によると、「政策の企画をその場限りのエピソードに頼るのではなく、政策目的を明確化したうえで合理的根拠（エビデンス）に基づくものとすることです。政策効果の測定に重要な関連を持つ情報や統計等のデータを活用したEBPMの推進は、政策の有効性を高め、国民の行政への信頼確保に資するものです」。

データをもとにした議論のためにも、第4章で説明したように、指標が大事なのです。

『地元経済を創りなおす』で紹介している英国トットネスでは、様々な調査やデータをもとに、「地元経済の青写真」という報告書を作りました。「地域の家庭が購入している食べ物・飲料の金額は合計して3000万ポンドであり、そのうち、約2000万ポンドはトットネス地方に2店舗あるスーパーマーケットで使われ、約60店舗ある地元の食料品店で使われているのは、残りの1000万ポンド。スーパーなどの調達データから、地元で消費されている3000万ポンドのうち、地域内から調達されているのは、約800万ポンドしかない。残りの2200万ポンドは、地域外から調達された飲食物に使われていることがわかった」としています。

そして、この結果をもとに、「トットネスのまちの人たちが、食べ物・飲料に使っているお金のたった10%を地元産の飲食料品へ切り替えれば、地元経済に200万ポンド(約2・5億円)の価値をもたらすことになる」という試算を発表しています。この報告書に基づいて、地元の人々は「食費の10%を地元産にシフトしよう!」という「10%キャンペーン」を展開したり、地元で供給できていないものを地元で生産できないかを調べて実行したりしています。まさにデータに基づいた分析と議論の上に、プロジェクトを作って実行しているのです。一つのお手本になるのではないでしょうか。

「公平性の罠」に陥らない

多くの地域で共通して見られる「まちづくりを進める上での障壁」はいくつもありますが、その一つが「公平性の罠」です。

行政は、自分たちの業務の進め方には「公平性」が不可欠だと信じており、住民も、「公平性」を求めます。「どうして、自分のところはだめで、あそこはいいんだ」といった具合にです。

両方ともっともなことなのですが、そのせいで、「公平性の罠」に陥って身動きがとれなくなることがよくあります。「公平性の罠」に陥ると、目の前の公平性に縛られて、長期的にはみんなのためになる「重点投資」ができず、望ましい効果が上げられなくなります。効果が上がらないので、みんなじり貧です。

これは、「入り口の公平性」、つまり「だれもが同じように分配を受けるべきだ」と、「分配の公平性」だけを見ているからです。それに対して、「分配は不公平だけど、重点投資を行うおかげで、全体に対する効果が得られるから、最終的にはみんなが幸せになる」という、「結果の公平性」に考え方をシフトできるかどうかにかかっています。

そして、「分配は不公平だけど、重点投資を行うおかげで、全体に対する効果が得られるから、最終的にはみんなが幸せになる」ことをきちんと「見える化」してわかりやすく伝え、「たしかにそうだ。それなら、分配は不公平だけど、しかたない」と住民に言ってもらえるまで、しっかり説明できるかどうかが大切です。

そのためには、トップのリーダーシップが鍵を握ります。首長が、現状と長期的な見通しをきちんとデータとして持った上で、「これまでどおり」を続けるのではない、痛みを伴う変革を進める。そのときに、「なぜ重点投資(＝不公平な分配)がみんなのためになるのかをしっかり説明・説得することで「公平性の罠」を回避できるのです。

この「言うは易し」の取り組みを実際にしっかり進め、しっかり実績を上げているすばらしい例の一つが、富山市・森市長の取り組みです。

森市長はデータをもとに、特に郊外に住んでいる住民に、次のように説明して回ったそうです。


富山市の歳入全体に占める税目の構成比を見ると、リーマンショック以降市民税が落ちています。その結果、不動産に対する固定資産税と都市計画税の構成費が大きくなっています。このとき、地価が下落すると、この税収も減少することになります。

地区別に見れば、中心市街地の面積は全市の0・4%ですが、全市の固定資産税と都市計画税総額の22・2%を収めてくれていることがわかります。ですから、ここに投資することがいちばん合理的なのです。

みなさん、中心部にばかり電車を走らせたり、花束を持ったら電車が無料とか、花で飾ったりして、不公平だと思っているでしょう？ でも、この数字を見てください。この上、中心市街地の地価が落ちると、市の財政が厳しくなるから、行政サービスの水準を落とすか、市民税を上げるかしないとやっていけなくなる。だから、不満はわかるけど、中心地からの税収があるから農村や郊外への特別な補助もできるのです。

森市長はこうも話してくれました。

「みなさん、不満でしょう?」と言ったら、「不満です」と答えが返ってきます。「でも、しょうがないでしょう?」と言ったら、みんな「しょうがない」と言います。

きちんと市民を説得できるかどうかです。多くの首長は、それが嫌だったり怖いのでやらないのでしょう。「何であそこばかりやるんだ。おれのところにも」という圧力や声に対して説得し切れないのです。

長く、「行政に求められるものは説明責任だ」と言われてきましたが、説明責任で止まってはだめなのです。必要なのは説得責任です。「反対」と言う人たちをも説得する。そして、将来市民のために必要な施策を進めること。それが行政の責任だと思うのです。

とにかく説明をきちんとすること、嫌がられても、いちばん反対されそうな所に飛び込んでいって、こういうデータを出して、説得するということです。

最初のころ、LRTの取り組みを始めるときには、全市を回って120回くらい説明会をやりましたよ。2時間の説明会を一日に4回やったこともあります。最後は、酸欠で倒れそうになりました(笑)。

それともう一つ大事なことは、100人が賛成するのを待って動いたのではだめだということです。ここがとても大事なところです。反対する人がいても、信念と確信があれば、そのうちわかってくれる。

「消極的な支持」と呼んでいます。「本当は気に入らない。だけどしょうがない。だから反対はしない」という人たちがサイレントマジョリティではないでしょうか。本当に声を出して反対している人はほんの一部なのです。

先日の議会でも、「今期の僕の責任の一つは、嫌がられることをすることだ」と明確に言いました。選挙のときも、そう言って選挙戦を闘いました。将来市民のためにすべきことを進めようとしたら、現状を守りたくて反対する人と正面からぶつかることになりますから。

民力を上げる

これからのまちづくりを考えるとき、最も大切なことは「民力を上げる」ことだと考えています。行政や外部のコンサルタントなどに頼り切るのではなく、まちの人たちが自分たちで、自分たちのまちの将来と課題を見据え、ありたい姿を描き、具体的なプロジェクトを構想して実行し、変化を創り出していく力が何よりも重要です。

これまでは、「お上」という言葉が示すように、政府や行政がいろいろ考えて手を打ってくれるから、住民は自ら考えたり動いたりしなくても、まるでお客様のように、政府や行政の庇護のもとにいればよい、というあり方もあったかもしれません。しかし、そのようなスタンスでは、今後のまちづくりを進めていくことは難しいでしょう。

まちの人々が、お客様ではなく、クレーマーでもなく、行政とも良い連携をしながら、お互いの間の様々な立場や考え方の折り合いをつけながら、「同志」としてまちづくりを進めていくこと。そのように動けるまちの人を増やしていくこと。つまり、「民力を上げる」ことが今後のまちづくりの鍵だと思うのです。

だからこそ、本書で紹介した「ホップ、ステップ、ジャンプ！」のプロセスが大事だと考えます。プロセスの結果生まれる共有ビジョンももちろん大事ですが、そのプロセスを通じて、まちの人たちが民力を高め、まちづくりのチームが生まれること。それこそがまちづくりの要諦だと信じています。

おわりに

2018年2月に出版した『地元経済を創りなおす――分析・診断・対策』(岩波新書)は幸いなことに版を重ね、多くの方々に読んでいただいています。「もっと具体的に話を聞きたい」と、多くの地域から講演やセミナーのお声がけをいただいたり、「自分たちのまちでも実際にやってみたい」と、産業連関表の作成や買い物調査のお手伝いをさせていただいたりすることも増え、少しでもお役に立てることをうれしく思っています。

この『地元経済を創りなおす』の結びの一文は、「「未来は地域にしかない」――その未来が少しでも明るく持続可能で幸せなものになるよう、これからも力を尽くしていきます」でした。本書は、その一つの具体物です。前書では、まちのビジョンの一つとして必ず出てくる「地元経済」への取り組み方と事例を示しました。しかし、「そもそものまちのビジョンの作り方を知りたい」という声も多くいただいています。自分でもあちこちのまちづくりのお手伝いをする中で、伝えるべき大事なメッセージと具体的なやり方がある！ と思ったことから、本書の執筆を決めたのでした。

構想はしばらく前からありましたが、実際に執筆を開始したのは、コロナ禍で出張や外での仕事がなくなり、全面的に在宅での仕事となった2月末です。5月末にひととおりの原稿を書き終えることができました。前書を担当してくれた岩波書店の編集者・島村典行さんとのやりとりをしながら原稿を練り上げ、こうしてみなさんにお届けできることをとてもうれしく思います。

コロナ禍で外出もままならない中で本書の執筆を進めた時間は、私にとって特別なものとなりました。人を集めることができない！　という状況の中でも、まちづくりを止めるわけにはいかないのです。今年度からまちづくりのお手伝いを始めた北海道・美瑛(びえい)町をはじめ、共有ビジョンづくりや具体的なプロジェクトの案件形成などの地域のお手伝いをオンラインでもできるよう、いろいろ工夫し、支援を続けてきました。いくつか大事なポイントを押さえれば、ソーシャル・ディスタンシングを行いながらもまちづくりを進めることはできる！　という手応えを感じています。

また、新型コロナウイルスが作りだした状況は、私自身の役割を変えることにもつながりました。それまでは、各地の市やまちを定期的に訪問して、ワークショップやセミナー、アドバイスを提供することで、まちづくりのプレーヤーを支援するという役割だったのですが、コロナ禍をきっかけに、自分自身がまちづくりのプレーヤーの一人となったのです。

もともと8年ほど前に、執筆や翻訳作業のための〝自主缶詰〟用に、熱海の海の目の前のマンションの一部屋を入手し、集中作業をするために時々訪れていました。まちに出ることもまちの人々とやりとりすることもなく、ひっそりと過ごす、仕事用の場所でした。しかし、コロナ禍による外出自粛のタイミングで、「どうせ籠もるなら、大好きな海が見える場所がいい」と熱海に居を移し、半年後には前の住居から荷物をすべて運び込んで、完全移住したのでした。

そうする中で、熱海で「未来の子どもたちにきれいで楽しい地球を残したい」と、本業の傍ら数年前からビーチクリーン活動を推進し、川の河口にネットを張って海に流れ込むプラスチックごみをキャッチしようというプロジェクトなどを進めていた、熱海マリンサービスの光村智弘さんと知り合ったのでした。私自身も「未来世代に持続可能で幸せな社会を残したい」と環境問題に取り組んできたので、意気投合。いろいろ話している中で、お互いの強みである「ローカル」と「グローバル」を掛け合わせて環境問題やまちづくりに取り組んでいこう！と株式会社未来創造部を設立し、私も一人の地元住民として活動をするようになったのでした。

自分のまちというリアルなフィールドでプレーヤーとして活動するようになって、「バックキャスティングでのビジョンづくり」→「システム思考による構造分析」→「構造を変えるためのプロジェクトの立案と実行」の大切さをさらに強く感じるようになりました。まだ熱海での活動を始めて日が浅いため、熱海市全体を巻き込んでのビジョンづくりには行き着いていませんが、自分たちの活動のビジョンは毎週のように確認・練り直していますし、地元で様々な活動をしている方々向けにシステム思考の勉強会を行ったり、いろいろな地元のプレーヤーとまちづくりについて語り合う場を作ったり(そのためにカフェもオープンしました!)と活動を進めています。そうして、本書に書いたことを、地元の視点から見直せるようになってきて、ますます手応えを感じています。

「未来は地域にしかない」――その未来を創り出す一助となりたいという思いで、本書を書きました。その具体的な場を与えてくれた柏崎市、海士町、下川町、南小国町、上勝町のみなさん、勇気を与えてくれる事例を共有してくれた海士町の片桐一彦さん、グラフィック・レコーディングの例の共有を快諾してくれた新居慧香さん、スウェーデンのビジョンづくりについて教えてくれた高見幸子さん、入湯手形をめぐる話を聞かせてくれた黒川温泉のみなさん、地域経営にとって非常に大事なことを教えてくださった富山市の森市長に感謝しています。

また、人口分析・予測のシステムを開発するとともに、産業連関表作成のプロとしてまちづくりを手伝ってくれる、株式会社グリーン・ガーディアンの小野雄也・あかりさん、有限会社イーズの「見える化ユニット」の中心メンバーの新津尚子さん、各地のまちづくりに飛び回る私をしっかりとサポートし支えてくれているイーズのスタッフのみなさん、そして、株式会社未来創造部の光村智弘さんに心からのありがとう！を伝えたいと思います。

地域に希望と未来を創り出したいという自分の活動はこれからも続きます。日本や世界の各地でそれぞれ頑張っている仲間や同志たちと共に。

枝廣淳子

枝廣淳子

大学院大学至善館イノベーション経営学術院教授，幸せ経済社会研究所所長，株式会社未来創造部代表取締役社長．

東京大学大学院教育心理学専攻修士課程修了．

主な著訳書に『不都合な真実』(ランダムハウス講談社)，『成長の限界 人類の選択』(ダイヤモンド社)，『学習する組織』(英治出版)，『レジリエンスとは何か』(東洋経済新報社)，『大転換』(岩波書店)，『地元経済を創りなおす』(岩波新書) ほか多数．


好循環のまちづくり！　岩波新書(新赤版)1877

2021年4月20日　第1刷発行

著　者　枝廣淳子（えだひろじゅんこ）

発行者　岡本　厚

発行所　株式会社 岩波書店
〒101-8002 東京都千代田区一ツ橋2-5-5
案内 03-5210-4000　営業部 03-5210-4111
https://www.iwanami.co.jp/

新書編集部 03-5210-4054
https://www.iwanami.co.jp/sin/

印刷・精興社　カバー・半七印刷　製本・中永製本

ISBN 978-4-00-431877-4　Printed in Japan

岩波新書新赤版一〇〇〇点に際して

ひとつの時代が終わったと言われて久しい。だが、その先にいかなる時代を展望するのか、私たちはその輪郭すら描きえていない。二〇世紀から持ち越した課題の多くは、未だ解決の緒を見つけることのできないままであり、二一世紀が新たに招きよせた問題も少なくない。グローバル資本主義の浸透、憎悪の連鎖、暴力の応酬——世界は混沌として深い不安の只中にある。

現代社会においては変化が常態となり、速さと新しさに絶対的な価値が与えられた。消費社会の深化と情報技術の革命は、種々の境界を無くし、人々の生活やコミュニケーションの様式を根底から変容させてきた。ライフスタイルは多様化し、一面では個人の生き方をそれぞれが選びとる時代が始まっている。同時に、新たな格差が生まれ、様々な次元での亀裂や分断が深まっている。社会や歴史に対する意識が揺らぎ、普遍的な理念に対する根本的な懐疑や、現実を変えることへの無力感がひそかに根を張りつつある。そして生きることに誰もが困難を覚える時代が到来している。

しかし、日常生活のそれぞれの場で、自由と民主主義を獲得し実践することを通じて、私たち自身がそうした閉塞を乗り超え、希望の時代の幕開けを告げてゆくことは不可能ではあるまい。そのために、いま求められていること——それは、個と個の間で開かれた対話を積み重ねながら、人間らしく生きることの条件について一人ひとりが粘り強く思考することではないか。その営みの糧となるものが、教養に外ならないと私たちは考える。歴史とは何か、よく生きるとはいかなることか、世界そして人間はどこへ向かうべきなのか——こうした根源的な問いとの格闘が、文化と知の厚みを作り出し、個人と社会を支える基盤としての教養となった。まさにそのような教養への道案内こそ、岩波新書が創刊以来、追求してきたことである。

岩波新書は、日中戦争下の一九三八年一一月に赤版として創刊された。創刊の辞は、道義の精神に則らない日本の行動を憂慮し、批判的精神と良心的行動の欠如を戒めつつ、現代人の現代的教養を刊行の目的とする、と謳っている。以後、青版、黄版、新赤版と装いを改めながら、合計二五〇〇点余りを世に問うてきた。そして、いままた新赤版が一〇〇〇点を迎えたのを機に、人間の理性と良心への信頼を再確認し、それに裏打ちされた文化を培っていく決意を込めて、新しい装丁のもとに再出発したいと思う。一冊一冊から吹き出す新風が一人でも多くの読者の許に届くこと、そして希望ある時代への想像力を豊かにかき立てることを切に願う。

（二〇〇六年四月）

岩波新書より

政治

日米安保体制史　吉次公介
官僚たちのアベノミクス　軽部謙介
在日米軍　変貌する日米安保体制　梅林宏道
憲法改正とは何だろうか　高見勝利
共生保障〈支え合い〉の戦略　宮本太郎
シルバー・デモクラシー　戦後世代の覚悟と責任　寺島実郎
憲法と政治　青井未帆
18歳からの民主主義　岩波新書編集部編
検証　安倍イズム　柿崎明二
右傾化する日本政治　中野晃一
外交ドキュメント　歴史認識　服部龍二
日米〈核〉同盟　原爆、核の傘、フクシマ　太田昌克
集団的自衛権と安全保障　豊下楢彦、古関彰一
日本は戦争をするのか　半田滋
アジア力の世紀　進藤榮一
民族紛争　月村太郎
自治体のエネルギー戦略　大野輝之
政治的思考　杉田敦
現代日本の政党デモクラシー　中北浩爾
サイバー時代の戦争　谷口長世
現代中国の政治　唐亮
日本の国会　大山礼子
戦後政治史〔第三版〕　石川真澄、山口二郎
〈私〉時代のデモクラシー　宇野重規
大臣〔増補版〕　菅直人
生活保障　排除しない社会へ　宮本太郎
「ふるさと」の発想　西川一誠
「戦地」派遣　変わる自衛隊　半田滋
民族とネイション　塩川伸明
昭和天皇　原武史
集団的自衛権とは何か　豊下楢彦
沖縄密約　西山太吉
ルポ　改憲潮流　斎藤貴男
吉田茂　原彬久
安心のファシズム　斎藤貴男
市民の政治学　篠原一
東京都政　佐々木信夫
有事法制批判　憲法再生フォーラム編
日本政治 再生の条件　山口二郎編著
安保条約の成立　豊下楢彦
岸信介　原彬久
自由主義の再検討　藤原保信
一九六〇年五月一九日　日高六郎編
日本の政治風土　篠原一
近代の政治思想　福田歓一
日本精神と平和国家　矢内原忠雄

岩波新書より

法律

- 治安維持法と共謀罪　内田博文
- 裁判の非情と人情　原田國男
- 独占禁止法〔新版〕　村上政博
- 密着 最高裁のしごと　川名壮志
- 「法の支配」とは何か 行政法入門　大浜啓吉
- 会社法入門〔新版〕　神田秀樹
- 憲法への招待〔新版〕　渋谷秀樹
- 比較のなかの改憲論　辻村みよ子
- 大災害と法　津久井進
- 変革期の地方自治法　兼子仁
- 原発訴訟　海渡雄一
- 労働法入門　水町勇一郎
- 人が人を裁くということ　小坂井敏晶
- 知的財産法入門　小泉直樹
- 消費者の権利〔新版〕　正田彬
- 司法官僚 裁判所の権力者たち　新藤宗幸
- 名誉毀損　山田隆司

- 刑法入門　山口厚
- 家族と法　二宮周平
- 憲法とは何か　長谷部恭男
- 良心の自由と子どもたち　西原博史
- 著作権の考え方　岡本薫
- 有事法制批判　憲法再生フォーラム編
- 法とは何か〔新版〕　渡辺洋三
- 民法のすすめ　星野英一
- 日本社会と法　渡辺洋三・甲斐道太郎・広渡清吾・小森田秋夫 編
- 日本の憲法〔第三版〕　長谷川正安
- 憲法と天皇制　横田耕一
- 自由と国家　樋口陽一
- 憲法第九条　小林直樹
- 納税者の権利　北野弘久
- 小繋事件　戒能通孝
- 日本人の法意識　川島武宜

カラー版

- カラー版 国芳　岩切友里子
- カラー版 知床・北方四島　大泰司紀之・本間浩昭
- カラー版 西洋陶磁入門　大平雅巳
- カラー版 すばる望遠鏡の宇宙　海部宣男・宮下曉彦 写真
- カラー版 ベトナム 戦争と平和　石川文洋
- カラー版 難民キャンプの子どもたち　田沼武能
- カラー版 メッカ　野町和嘉
- カラー版 シベリア動物誌　福田俊司
- カラー版 ハッブル望遠鏡が見た宇宙　野本陽代・R・ウィリアムズ
- カラー版 妖怪画談　水木しげる

岩波新書より

経済

- 日本の税金〔第3版〕 三木義一
- 金融政策に未来はあるか 岩村充
- 経済数学入門の入門 田中久稔
- 地元経済を創りなおす 枝廣淳子
- 会計学の誕生 渡邉泉
- 偽りの経済政策 服部茂幸
- ミクロ経済学入門の入門 坂井豊貴
- 経済学のすすめ 佐和隆光
- ガルブレイス 伊東光晴
- ユーロ危機とギリシャ反乱 田中素香
- ポスト資本主義 科学・人間・社会の未来 広井良典
- タックス・イーター 志賀櫻
- コーポレート・ガバナンス 花崎正晴
- グローバル経済史入門 杉山伸也
- 新・世界経済入門 西川潤
- 金融政策入門 湯本雅士
- 日本経済図説〔第四版〕 宮崎勇 本庄真 田谷禎三

- 新自由主義の帰結 服部茂幸
- タックス・ヘイブン 志賀櫻
- WTO 貿易自由化を超えて 中川淳司
- 日本財政 転換の指針 井手英策
- 日本の税金〔新版〕 三木義一
- 世界経済図説〔第三版〕 宮崎勇 田谷禎三
- 成熟社会の経済学 小野善康
- 平成不況の本質 大瀧雅之
- 原発のコスト 大島堅一
- 次世代インターネットの経済学 依田高典
- ユーロ 危機の中の統一通貨 田中素香
- 低炭素経済への道 諸富徹 浅岡美恵
- 「分かち合い」の経済学 神野直彦
- グリーン資本主義 佐和隆光
- 消費税をどうするか 小此木潔
- 国際金融入門〔新版〕 岩田規久男
- 金融商品とどうつき合うか 新保恵志

- 金融NPO 藤井良広
- 地域再生の条件 本間義人
- 経済データの読み方〔新版〕 鈴木正俊
- 格差社会 何が問題なのか 橘木俊詔
- 景気とは何だろうか 山家悠紀夫
- 環境再生と日本経済 三橋規宏
- 社会的共通資本 宇沢弘文
- 景気と国際金融 小野善康
- 経営革命の構造 米倉誠一郎
- ブランド 価値の創造 石井淳蔵
- 景気と経済政策 小野善康
- 戦後の日本経済 橋本寿朗
- 共生の大地 新しい経済がはじまる 内橋克人
- シュンペーター 伊東光晴 根井雅弘
- 経済学の考え方 宇沢弘文
- 経済学とは何だろうか 佐和隆光
- イギリスと日本 森嶋通夫
- 近代経済学の再検討 宇沢弘文

社会

岩波新書より

岩波新書より

岩波新書より

福祉・医療

賢い患者	山口育子
ルポ 看護の質	小林美希
健康長寿のための医学	井村裕夫
不眠とうつ病	清水徹男
在宅介護	結城康博
和漢診療学 あたらしい漢方	寺澤捷年
不可能を可能に 点字の世界を駆けぬける	田中徹二
医と人間	井村裕夫編
医療の選択	桐野高明
納得の老後 日欧在宅ケア探訪	村上紀美子
移植医療	櫛島次郎 出河雅彦
医学的根拠とは何か	津田敏秀
転倒予防	武藤芳照
看護の力	川嶋みどり
心の病 回復への道	野中猛
重い障害を生きるということ	髙谷清
肝臓病	渡辺純夫
感染症と文明	山本太郎
ルポ 認知症ケア最前線	佐藤幹夫
医の未来	矢﨑義雄編
パンデミックとたたかう	押谷仁 瀬名秀明
健康不安社会を生きる	飯島裕一編著
介護 現場からの検証	結城康博
腎臓病の話	椎貝達夫
がんとどう向き合うか	額田勲
がん緩和ケア最前線	坂井かをり
人はなぜ太るのか	岡田正彦
児童虐待	川﨑二三彦
生老病死を支える	方波見康雄
医療の値段	結城康博
認知症とは何か	小澤勲
障害者とスポーツ	高橋明
生体肝移植	後藤正治
放射線と健康	舘野之男
定常型社会 新しい「豊かさ」の構想	広井良典
健康ブームを問う	飯島裕一編著
血管の病気	田辺達三
医の現在	高久史麿編
日本の社会保障	広井良典
居住福祉	早川和男
高齢者医療と福祉	岡本祐三
看護 ベッドサイドの光景	増田れい子
医療の倫理	星野一正
体験ルポ 世界の高齢者福祉	山井和則
リハビリテーション	砂原茂一
指と耳で読む	本間一夫
自分たちで生命を守った村	菊地武雄

宗教

- 初期仏教　ブッダの思想をたどる　馬場紀寿
- 内村鑑三　悲しみの使徒　若松英輔
- パウロ　十字架の使徒　青野太潮
- 弘法大師空海と出会う　川﨑一洋
- 高野山　松長有慶
- マルティン・ルター　徳善義和
- 教科書の中の宗教　藤原聖子
- 『教行信証』を読む　親鸞の世界へ　山折哲雄
- 国家神道と日本人　島薗進
- 聖書の読み方　大貫隆
- 寺よ、変われ　高橋卓志
- 親鸞をよむ　山折哲雄
- 日本宗教史　末木文美士
- 中世神話　山本ひろ子
- 法華経入門　菅野博史
- イスラム教入門　中村廣治郎

- ジャンヌ・ダルクと蓮如　大谷暢順
- 蓮如　五木寛之
- キリスト教と笑い　宮田光雄
- 密教　松長有慶
- 仏教入門　三枝充悳
- モーセ　浅野順一
- イスラーム（回教）　蒲生礼一
- 背教者の系譜　武田清子
- 聖書入門　小塩力
- イエスとその時代　荒井献
- 慰霊と招魂　村上重良
- 国家神道　村上重良
- お経の話　渡辺照宏
- 日本の仏教　渡辺照宏
- 仏教〔第二版〕　渡辺照宏
- チベット　多田等観
- 禅と日本文化　鈴木大拙　北川桃雄訳

心理・精神医学

- モラルの起源　亀田達也
- トラウマ　宮地尚子
- 自閉症スペクトラム障害　平岩幹男
- 自殺予防　高橋祥友
- だます心 だまされる心　安斎育郎
- 痴呆を生きるということ　小澤勲
- 快適睡眠のすすめ　堀忠雄
- 精神病　笠原嘉
- やさしさの精神病理　大平健
- 生涯発達の心理学　高橋惠子　波多野誼余夫
- コンプレックス　河合隼雄

岩波新書より

哲学・思想

ルイ・アルチュセール	市田良彦
異端の時代	森本あんり
ジョン・ロック	加藤節
インド哲学10講	赤松明彦
マルクス 資本論の哲学	熊野純彦
トマス・アクィナス 理性と神秘	山本芳久
生と死のことば 中国の名言を読む	川合康三
アウグスティヌス 「心」の哲学者	出村和彦
日本文化をよむ 5つのキーワード	藤田正勝
矢内原忠雄 戦争と知識人の使命	赤江達也
中国近代の思想文化史	坂元ひろ子
憲法の無意識	柄谷行人
ホッブズ リヴァイアサンの哲学者	田中浩
プラトンとの哲学 対話篇をよむ	納富信留
〈運ぶヒト〉の人類学	川田順造
哲学の使い方	鷲田清一
ヘーゲルとその時代	権左武志
柳宗悦	中見真理
人類哲学序説	梅原猛
加藤周一	海老坂武
哲学のヒント	藤田正勝
空海と日本思想	篠原資明
論語入門	井波律子
トクヴィル 現代へのまなざし	富永茂樹
和辻哲郎	熊野純彦
現代思想の断層	徳永恂
宮本武蔵	魚住孝至
西田幾多郎	藤田正勝
丸山眞男	苅部直
西洋哲学史 近代から現代へ	熊野純彦
西洋哲学史 古代から中世へ	熊野純彦
世界共和国へ	柄谷行人
悪について	中島義道
偶然性と運命	木田元
近代の労働観	今村仁司
プラトンの哲学	藤沢令夫
術語集 II	中村雄二郎
マックス・ヴェーバー入門	山之内靖
ハイデガーの思想	木田元
臨床の知とは何か	中村雄二郎
新哲学入門	廣松渉
「文明論之概略」を読む 上・中・下	丸山真男
術語集	中村雄二郎
死の思索	松浪信三郎
生きる場の哲学	花崎皐平
イスラーム哲学の原像	井筒俊彦
北米体験再考	鶴見俊輔
アフリカの神話的世界	山口昌男
孟子	金谷治
孔子	貝塚茂樹

岩波新書/最新刊から

1866 **倒産法入門** ―再生への扉― 伊藤眞 著
倒産とは何か。「破産」「民事再生」「会社更生」「特別清算」「私的整理」はどう違うのか。倒産法制の仕組みと基本原理を解説。

1867 **ヒンドゥー教10講** 赤松明彦 著
複雑ななりたちをもつヒンドゥー教を、歴史的・地域的な重層性に注意しながら、丁寧なテキスト読解によって体系的に理解する。

1868 **プライバシーという権利** ―個人情報はなぜ守られるべきか― 宮下紘 著
個人情報が知らないうちに利用されてしまう時代。今必要なのは、過剰反応することなくプライバシーの核心と向きあうことだ。

1869 **花粉症と人類** 小塩海平 著
ネアンデルタール人も花粉症？「謎の風邪」解明に挑む医師たちの涙ぐましい努力とは？花粉症を愛をもって描く初めての本。

1870 **尊厳** ―その歴史と意味― マイケル・ローゼン 著 内尾太一 峯陽一 訳
尊厳は人権言説の中心にある哲学的な難問だ。なぜ私たちは死者を敬うのか。生と死、人間の義務をめぐる啓蒙書が示す道とは。

1871 **戦後政治史 第四版** 石川真澄 山口二郎 著
3・11からコロナ危機までの一〇年分を増補、それは自民党「一強」と野党の弱体化が進んだ時代であった。定評のある通史の最新版。

1872 **労働組合とは何か** 木下武男 著
「古臭い」「役に立たない」といわれる労働組合。しかし、それは「本当の労働組合」ではない。第一人者が描く秘めた可能性。

1873 **時代を撃つノンフィクション100** 佐高信 著
戦後の日本社会に深い影響を与えた古典的名著から二〇一〇年代の作品まで。時代を撃ち続ける一〇〇冊を選び抜いたブックガイド。

(2021.4)